La bibliothèque Gallimard

Source des illustrations

Couverture : Avis de recherche de Dora Bruder. Illustration d'après un extrait de *Paris-Soir*, 31 décembre 1941.
Gallimard/J. Sassier : 7. Keystone : 183. Magnum/R. Burri : 63. Rue des Archives : 11, 13, 121.

Patrick Modiano

Dora Bruder

Lecture accompagnée par
Bruno Doucey
professeur certifié de lettres modernes

avec la participation de
Marc-Henri Arfeux
professeur certifié de philosophie

La bibliothèque Gallimard

Florilège

«Il y a huit ans, dans un vieux journal, *Paris-Soir*, qui datait du 31 décembre 1941, je suis tombé à la page trois sur une rubrique : "D'hier à aujourd'hui". Au bas de celle-ci, j'ai lu :
"PARIS
On recherche une jeune fille, Dora Bruder, 15 ans…"»

«D'hier à aujourd'hui. Avec le recul des années, les perspectives se brouillent pour moi, les hivers se mêlent l'un à l'autre. Celui de 1965 et celui de 1942.»

«Il faut longtemps pour que resurgisse à la lumière ce qui a été effacé.»

«On se dit qu'au moins les lieux gardent une légère empreinte des personnes qui les ont habités.»

«En écrivant ce livre, je lance des appels, comme des signaux de phare…»

«Comme beaucoup d'autres avant moi, je crois aux coïncidences et quelquefois à un don de voyance chez les romanciers…»

«Tous les deux, le père et la fille, quittèrent Drancy le 18 septembre, avec mille autres hommes et femmes, dans un convoi pour Auschwitz.»

Ouvertures

Savez-vous ce qui relie une ville fantôme, après un bombardement ou l'exode de ses habitants ; un homme frappé d'amnésie en quête de son passé ; une danseuse de music-hall ; une mystérieuse voiture de sport blanche en bordure de la forêt de Fontainebleau ; des silhouettes sur fond de crépuscule ; un pensionnat, loin de Paris, où séjournent de braves garçons abandonnés par leur famille ; des coupures de journaux et des photographies jaunies par le temps ; la curieuse impression d'avoir déjà vécu dans un lieu où l'on se rend pour la première fois ? Tous ces éléments, qui semblent tirés d'un vieux film en noir et blanc des années 1940, appartiennent à l'univers romanesque de Patrick Modiano.

On dit souvent qu'il n'est pas nécessaire de connaître un écrivain pour apprécier son œuvre. Cela est vrai ; mais il arrive que l'on comprenne mieux cette œuvre en sachant d'où provient la voix qui chuchote à nos oreilles, quelle présence s'installe à nos côtés lorsque nous lisons. Pour autant, il n'est guère facile de présenter un écrivain qui mêle réalité et fiction, fabule lorsqu'il parle de lui ou se dévoile pour mieux se dissimuler. C'est le cas de Patrick Modiano qui a fait dire à l'un des personnages de *La Ronde de nuit*, non sans humour :

《 Je donne à mon biographe l'autorisation de m'appeler simplement "un homme" et lui souhaite du courage. **》**

Une mythologie des origines

Patrick Modiano est né à Boulogne-Billancourt le 30 juillet 1945, et non en 1947 comme le signalent par erreur les notices biographiques de ses premiers romans, parus aux éditions Gallimard.

Une mère comédienne

La mère de Patrick Modiano, comédienne née à Anvers, quitte la Belgique et s'installe à Paris en 1942. Dans l'ouvrage intitulé *Paris tendresse*, qu'il consacre au photographe Brassaï, Patrick Modiano évoque son arrivée dans la capitale française : « Les jours où elle éprouvait le mal du pays, elle se réfugiait dans deux cafés, l'un quai d'Austerlitz, l'autre quai des Grands-Augustins, pour entendre les mariniers parler flamand. » Peu à peu, la jeune femme se mêle aux milieux artistiques de la rive gauche et joue – essentiellement après la guerre – différents rôles dans les films et les pièces de l'époque.

L'ombre d'un père

Dans le flou douteux de la guerre... – C'est à Paris, pendant la guerre, qu'elle rencontre Albert Modiano, le père de l'écrivain né en 1912. En vérité, cet homme d'origine juive qui ne s'est pas fait recenser se cache sous de fausses identités et vit d'expédients dans la clandestinité. L'œuvre de Patrick Modiano témoigne d'une fascination à l'égard de ce père au passé trouble, dont le souvenir hante la plupart de ses romans. Le narrateur de *La Ronde de nuit*, récit paru en 1969, s'imagine être le fils de Stavisky, homme d'affaires peu scrupuleux des années 1930, plus connu sous le nom de Serge Alexandre. Dans le roman suivant, intitulé *Les Boulevards de ceinture*, le narrateur (qui se nomme lui-même Serge Alexandre) part vainement à la recherche de son père qui a traversé les années de l'Occupation sous une fausse identité. Dans *Livret de famille*, ouvrage composé de quinze récits aux accents autobiographiques, le narrateur signale que son père épousa Luisa C. sous un faux nom, pendant l'Occupation :

« J'ignore en effet où je suis né et quels noms, au juste, portaient mes

Patrick Modiano.

parents lors de ma naissance. Une feuille de papier bleu marine, pliée en quatre, était agrafée à ce livret de famille : l'acte de mariage de mes parents. Mon père y figurait sous un faux nom parce que le mariage avait eu lieu pendant l'Occupation. On pouvait lire :

ÉTAT FRANÇAIS
Département de la Haute-Savoie
Mairie de Megève.
le 24 février mil neuf cent quarante-quatre, à dix-sept heures trente…

devant nous ont comparu publiquement en la maison commune :
Guy Jaspaard de Jonghe et
Maria Luisa C. […] »

L'après-guerre, rive droite – Après la guerre, Albert Modiano entre dans le monde des «affaires». Installé sur la rive droite, rue Lord-Byron, dans un immeuble choisi « à cause de sa double issue », le père de l'écrivain est amené à effectuer de fréquents et mystérieux voyages à l'étranger. Au début des années 1960, alors que Patrick est en âge de comprendre quel homme est véritablement son père, les liens se distendent : Albert Modiano et Luisa Colpeyn se séparent ; l'adolescent est envoyé dans un internat loin de Paris ; la famille éclate. Dans la courte fiction autobiographique intitulée *Éphéméride*, publiée au Mercure de France en 2002, le romancier explique quels projets son père avait formés pour lui :

« Mon père m'exposait les projets qu'il avait formés pour mon avenir. Il souhaitait que je parte au service militaire en devançant l'appel. Les quatre années qui ont suivi – jusqu'à ce que j'atteigne l'âge de la majorité – il n'a pas renoncé à ce projet. Il voulait lui-même régler toutes les formalités à la caserne de Reuilly. Puis ce serait le départ pour une autre caserne, vers l'Est. **»**

Vers 1967, Albert Modiano quitte la France pour la Suisse avant de disparaître définitivement. L'écrivain apprendra la nouvelle de sa mort dix ans plus tard, en 1977, sans l'avoir jamais revu.

Solitudes de l'enfance

La disparition du père est d'autant plus bouleversante qu'elle oblige Patrick Modiano à revivre en pensée les heures les plus sombres de son enfance : celles où l'enfant craint d'être abandonné parce que sa mère, comédienne, part pour d'interminables tournées ; celles où il se demande quel homme est véritablement son père ; celles enfin où son frère Rudy, de deux ans son cadet, meurt à l'âge de dix ans, emportant avec lui l'innocent paradis des promesses enfantines. Cette soudaine disparition fut un drame pour Patrick Modiano. « Le choc de sa mort a été déterminant », confiera-t-il en 1990 à un journaliste du magazine *Lire*. « Cela explique ma recherche perpétuelle de quelque chose de perdu, la quête d'un passé brouillé qu'on ne peut élucider, l'enfance brusquement cassée. »

Si Patrick Modiano dédie à son frère Rudy bon nombre de ses

romans, c'est que la disparition de ce frère – alter ego irremplaçable – est à l'origine de sa vocation d'écrivain.

Brumes de mémoire

La mort de Rudy, l'absence répétée de ses parents, leur rupture, puis la disparition d'un père qu'il ne reverra jamais sont des éléments essentiels de l'enfance vécue par Patrick Modiano. Ce sont eux qui expliquent la profonde solitude de l'enfant, l'instabilité de l'adolescent qui change fréquemment d'établissements scolaires et qui est renvoyé pour indiscipline. Mais ce qui frappe le plus lorsqu'on tente de rassembler les fragments épars d'un passé qu'il se plaît à brouiller, c'est cette fascination quasi obsessionnelle qu'a exercée sur lui la période de l'Occupation. Dans *Livret de famille*, Patrick Modiano explique qu'il est «imprégné de l'odeur vénéneuse» d'une époque qu'il n'a pas connue, mais qui constitue le «terreau» dont il est issu. S'adressant à un journaliste, l'écrivain affirme qu'il est un «produit de l'Occupation», époque «où pouvaient se croiser, dans un même lieu, un trafiquant de marché noir, un gestapiste de la rue Lauriston et un homme traqué». C'est dans ce contexte troublé que se sont rencontrés son père, «juif cosmopolite», et sa mère, «comédienne dans le cinéma d'avant-guerre» (*Les Nouvelles littéraires*, n° 2774, février 1981).

Les lieux dans lesquels se déroula l'enfance de Patrick Modiano sont eux-mêmes chargés de cette «mémoire empoisonnée». L'enfant et sa famille passèrent notamment plusieurs années au 15, quai de Conti, à Paris, dans un immeuble qui abrita sous l'Occupation les tractations occultes de l'écrivain Maurice Sachs, Juif et trafiquant de marché noir, que le jeune Patrick assimile confusément à l'image de son propre père. Dans l'un des récits de *Livret de famille*, le romancier relate la façon dont il retrouve, vingt ans après l'avoir quitté, l'appartement de son enfance :

« Comme les couches successives de papiers peints et de tissus qui recouvrent les murs, [ce lieu évoque] des souvenirs plus lointains : les quelques années qui comptent tant pour moi, bien qu'elles aient précédé ma naissance. À la fin d'une journée de juin 1942, par un crépuscule aussi doux que celui d'aujourd'hui, un vélo-taxi s'arrête, en bas, dans le renfoncement du quai de Conti, qui sépare la Monnaie de l'Institut. C'est ma mère. Elle vient d'arriver à Paris par le train de Belgique. **»**

À l'âge de vingt ans, Patrick Modiano abandonne des études de lettres entreprises à la Sorbonne pour se consacrer pleinement à l'écriture. Croira-t-on que son regard se tourne alors vers l'avenir, qu'il s'intéresse comme les jeunes gens de son époque à la société française des années 1960, qu'il dressera bientôt des barricades dans les rues de Paris pour vivre pleinement l'aventure de mai 1968 ? Non. À vingt ans, Patrick Modiano tourne le dos à la société dans laquelle il vit pour retrouver cette « mémoire empoisonnée » qui le hante. Alors que les jeunes gens de sa génération veulent « rompre avec les pères » et se couper du passé, Patrick Modiano se met en quête du père absent et s'intéresse aux années qui ont précédé sa naissance. « Dans la vie, écrira-t-il d'ailleurs en 1978 dans *Rue des boutiques obscures*, ce n'est pas l'avenir qui compte, c'est le passé. » Cinq ans plus tard, en 1983, Patrick Modiano reviendra sur cette époque et la distance qui le séparait des insurgés (*Le Point*, n° 537, 3 janvier 1983) :

« Comment aurais-je pu « en être » ? On se révoltait contre la famille, je n'en ai pas; contre l'Université, je ne l'ai guère fréquentée; contre la société et le système, j'en fais si peu partie. **»**

L'écrivain

Entrer en littérature

Son premier roman, *La Place de l'Étoile*, déposé chez Gallimard sur les conseils de son ami Raymond Queneau, nous entraîne dans la France occupée des années 1940. Le titre de ce roman, paru en 1968, y fait d'ailleurs doublement allusion : « La place de l'Étoile » est à la fois l'en-

L'étoile jaune, que les autorités françaises imposent aux Juifs de porter.

droit de la poitrine où devait être accrochée l'étoile jaune imposée aux Juifs par les nazis pendant la Seconde Guerre mondiale et le centre d'un quartier parisien devenu l'un des hauts lieux de la collaboration avec l'ennemi. En narrant les pérégrinations tragiques et burlesques de Raphaël Schlemilovitch, Patrick Modiano entraîne son lecteur aux lisières de sa propre existence, sur les rives d'une époque à demi engloutie.

La Place de l'Étoile (1968), *La Ronde de nuit* (1969), *Les Boulevards de ceinture* (1972), *Villa triste* (1975) : les romans se succèdent qui feront de Patrick Modiano l'un des écrivains majeurs de sa génération. *La Place de l'Étoile* fut perçu comme la fracassante entrée en scène d'un écrivain original et talentueux. Quelques prix littéraires célébreront la singularité du jeune romancier, parmi lesquels le Goncourt, obtenu « pour l'ensemble de son œuvre », lors de la publication de *Rue des boutiques obscures*, en 1978. En dépit de cette reconnaissance, Patrick Modiano reste un personnage secret. Dans ses premières interviews, le romancier se présente volontiers « comme un être [...] pour qui l'acte d'écrire est une tentative d'exorcisme et de salut, une forme de compensation et de discipline ».

Donner un avenir au passé

Les premiers romans de Patrick Modiano précèdent les travaux des historiens de l'Occupation, et non l'inverse : *La France de Vichy* de l'Américain Robert Paxton (1973), *Les Collaborateurs* de Pascal Ory (1977), *Le Syndrome de Vichy* d'Henry Rousso (1987). D'une façon plus générale, son œuvre romanesque annonce la fin du gaullisme et l'abolition d'un mythe né de la Seconde Guerre mondiale : celui d'une France résistante tout entière vouée à sa libération.

On veillera toutefois à ne pas prêter à Patrick Modiano des intentions politiques, ou idéologiques, qui lui étaient alors étrangères. C'est pour des raisons strictement personnelles que l'auteur de *La Place de l'Étoile* se tourne, à la fin des années 1960, vers la période de l'Occupation ; mais sa sensibilité de jeune homme inquiet rejoint, sans qu'il en ait immédiatement conscience, la sensibilité de toute une époque. En faisant revivre, quelquefois de façon hallucinatoire, la période qui précède sa naissance et les ambiguïtés de la France occupée, Patrick Modiano aidera ses contemporains à percer un abcès, ouvrant la voie à d'innombrables témoignages. Romans, essais, mémoires, pièces de théâtre, ouvrages d'historiens se succéderont alors pour offrir une autre vision de la France occupée.

L'erreur serait de croire que Patrick Modiano se tourne vers une époque antérieure à sa naissance par nostalgie du passé ou avec l'intention de prôner l'ancien contre le moderne. S'il recherche la trace, souvent fantomatique, des êtres qui ont disparu sous l'Occupation, c'est d'abord par solidarité et par souci de payer les dettes que tout homme libre a aujourd'hui envers ceux qui l'ont précédé. On se doit, en effet, autant que faire se peut, d'objecter au silence et à l'oubli quand ils paraissent injustes : « Beaucoup d'amis que je n'ai pas connus ont disparu en 1945, l'année de ma naissance. Ils avaient épuisé toutes les peines pour nous permettre de n'éprouver que de petits chagrins », dira-t-il dans *Dora Bruder*.

En entreprenant d'explorer la période de l'Occupation à la fin des années 1960, Patrick Modiano a fait plus que de rétablir le passé : il lui a offert un avenir.

En 1974, Louis Malle tournait un film coécrit avec Patrick Modiano : *Lacombe Lucien*, l'histoire d'un jeune homme devenu collabo non par véritable conviction, mais parce que les circonstances, les petites humiliations du quotidien, les désirs insatisfaits l'ont fait basculer dans le mauvais camp.

Avis de lecteurs

« *Dora Bruder*, livre bref et intense, livre fragile et terrible, parce qu'il donne l'esquisse d'un seul visage parmi les millions d'autres, qui devient celui de millions d'autres disparus dans l'Holocauste, n'est pas un roman. C'est une enquête inachevée, un appel, la tentative de reconstituer l'histoire singulière d'une adolescente juive française ordinaire au destin extraordinaire. **»**

Danièle Brison, *Le Magazine littéraire*, mai 1997.

« Contre la barbarie, contre l'oubli et le silence, Modiano grave le portrait d'une jeune fille qui, comme lui, voulait croire à la liberté. **»**

Michèle Gazier, *Télérama*, 30 avril 1997.

« Car le roman vrai ou vrai roman de Modiano n'est pas seulement le compte rendu précis et poétique d'une recherche de jeune fille disparue – fugueuse dans le Paris de l'Occupation, d'abord ; cendre impalpable de fumée grise sur les plaines de Pologne ensuite – ; ni seulement non plus une exploration de sa propre mémoire ; c'est aussi une chronique impitoyable, dans sa sécheresse documentaire, des complicités administratives de toute sorte qui ont participé à la persécution et l'extermination des Juifs dans la France de Vichy.

Ai-je bien fait sentir que *Dora Bruder* est un livre exceptionnel ? L'un des plus réussis, des plus riches en résonances de tout ordre, des plus poignants de Patrick Modiano. »

Jorge Semprun, Le Journal du dimanche, 6 avril 1997.

« Car ce livre qui bouleverse le rapport de la fiction et du documentaire, du poème et du récit, est, pour employer un mot dont il faut user ici sans le moindre tremblement dans la voix, bouleversant tout court. [...] Sur un Paris de 1941, qu'il arpente avec la souveraineté d'un Larbaud, Patrick Modiano a déposé, fine pellicule de poésie et de désespoir, les sourires engloutis et les regards entêtés qui ne veulent plus se dissiper. »

Renaud Matignon, Le Figaro littéraire, 3 avril 1997.

« *Dora Bruder* est le récit d'une enquête ; Modiano s'y revendique pour ce qu'il est : un gardien de la mémoire. [...]

Pour réussir, le gardien de la mémoire se doit de vaincre un colosse collectif : les gardiens de l'oubli. *Dora Bruder* est aussi le récit, parfois hallucinant, d'un combat inégal : celui d'un homme seul, d'un écrivain, contre la bureaucratie de l'amnésie. »

Pierre Lepape, Le Monde des livres, 4 avril 1997.

à vous...

<u>Lecture cursive</u>

1 – Lisez attentivement la liste des œuvres de Patrick Modiano qui figure à la fin de cet ouvrage (p. 198), puis répondez aux questions suivantes :

a – En quelle année *Dora Bruder* a-t-il été publié ?

b – Quelle particularité le titre de ce récit présente-t-il par rapport aux autres œuvres de Patrick Modiano ?

2 – Indiquez le nom d'un autre personnage éponyme* de la littérature française cité par Patrick Modiano dans les premières pages de *Dora Bruder* (p. 23 à 41).

<u>Lecture analytique</u>

1 – Lisez la première partie de *Dora Bruder*, puis répondez aux questions suivantes :

a – L'histoire est-elle narrée à la première ou à la troisième personne ? Relevez des indices qui justifient votre réponse.

b – Qu'apprenons-nous sur le narrateur au cours de ces pages ? Selon vous, à qui peut-on l'identifier ?

2 – Dans quelle ville l'histoire relatée par Patrick Modiano se situe-t-elle ? Relevez des indices qui justifient votre réponse.

3 – En vous appuyant sur les indications temporelles que comporte le récit, distinguez le moment de l'énonciation* et le moment de l'énoncé*. Quel(s) constat(s) pouvez-vous faire ?

* Les mots signalés par un astérisque sont définis dans le glossaire p. 197.

Histoire et culture au temps de Patrick Modiano

	Histoire	Culture	Vie et œuvre de Patrick Modiano
1939	Début de la Seconde Guerre mondiale.	Sartre, *Le Mur*.	
1940	10 mai : l'Allemagne envahit la France. Signature de l'armistice par Hitler et Pétain.		
1945	8 mai : capitulation de l'Allemagne. Août : première bombe atomique sur Hiroshima. Victoire des Alliés et fin de la Seconde Guerre mondiale.	Char, *Seuls demeurent*.	Naissance de Patrick Modiano à Boulogne-Billancourt.
1946	Débuts de la IVe République.	Eluard, *Poésie ininterrompue*. Mandiargues, *Le Musée noir*. Camus, *La Peste*.	
1947	Plan Marshall d'aide économique à l'Europe.		Naissance de Rudy, frère de Patrick Modiano.
1954	Début de la guerre d'Algérie.	Cohen, *Le Livre de ma mère*.	
1957	Mise en orbite autour de la Terre du premier satellite, Spoutnik, par les Soviétiques.	Butor, *La Modification*. Simon, *Le Vent*.	Mort de Rudy.
1965	Premiers bombardements américains sur le Viêt-nam du Nord.	Perec, *Les Choses*. Queneau, *Les Fleurs bleues*.	Abandon des études de lettres. Patrick Modiano se consacre totalement à l'écriture.
1967	Guerre des Six Jours entre Israël et les pays arabes.	Mandiargues, *La Marge*. Tournier, *Vendredi ou les Limbes du Pacifique*.	Albert Modiano quitte définitivement la France.
1968	Émeutes en France au mois de mai.	Cohen, *Belle du seigneur*. Yourcenar, *L'Œuvre au noir*.	Publication de *La Place de l'Étoile*, prix Roger Nimier.
1969	Les Américains Armstrong et Aldrin marchent sur la Lune.	Guillevic, *Ville*.	*La Ronde de nuit*.
1972	Réélection de R. Nixon à la présidence des États-Unis.	Michaux, *Émergences-Résurgences*.	Les *Boulevards de ceinture*, grand prix du roman de l'Académie française.
1974	G. Pompidou meurt. V. Giscard d'Estaing. élu. Aux États-Unis, démission de R. Nixon après le scandale du Watergate.	Malraux, *L'Irréel*.	*Lacombe Lucien* (scénario du film de Louis Malle).
1975	Fin de la guerre du Viêt-nam.	Perec, *W ou le Souvenir d'enfance*.	*Villa triste*.
1976	Mort de Mao Tsé-toung.	Gracq, *Les Eaux étroites*.	*Interrogatoire* (entretiens avec Emmanuel Berl).
1977	Élections municipales en France : la gauche est majoritaire.	Réda, *Les Ruines de Paris*.	*Livret de famille*.

1978	Élections législatives en France : majorité libérale.	Perec, La Vie mode d'emploi.	Rue des boutiques obscures, prix Goncourt. Mort d'Albet Modiano.
1981	10 mai : victoire de François Mitterrand, socialiste, aux élections présidentielles.	Leiris, Le Ruban au cou d'Olympia. Simon, Les Géorgiques.	Une jeunesse.
1982	Loi sur la décentralisation en France. Abaissement à 39 heures de la semaine de travail légal	Sarraute, Pour un oui, pour un non.	De si braves garçons.
1984			Quartier perdu.
1986	Élections législatives : succès de la droite et gouvernement de «cohabitation» Jacques Chirac Premier ministre.	Échenoz, L'Équipée malaise.	Dimanches d'août.
1988	Réélection de François Mitterrand.	Michon, Vie de Joseph Roulin.	Remise de peine. Catherine Certitude.
1989	Élections du Parlement de Strasbourg. Chute du mur de Berlin.	Des Forêts, Poèmes de Samuel Wood.	Vestiaire de l'enfance.
1990	Invasion du Koweït par l'Irak.	Jaccottet, Cahier de verdure.	Voyage de noces.
1991	Première guerre du Golfe contre l'Irak.	Gracq, Carnets du grand chemin.	Fleurs de ruine.
1992	Éclatement de la Yougoslavie. Guerre en Bosnie.	Duras, La Pluie d'été.	Un cirque passe.
1993	Accords d'Oslo entre Israéliens et Palestiniens.	Quignard, Le Nom au bout de la langue.	Chien de printemps.
1996			Du plus loin de l'oubli.
1997	Élections législatives : victoire de la gauche. L. Jospin Premier ministre. Oct. : Ouverture du procès de Maurice Papon, accusé de participation à des crimes contre l'humanité.	Des Forêts, Ostinato.	**Dora Bruder.**
1999	Intervention de l'OTAN en Yougoslavie en réponse à la répression serbe au Kosovo.	Roubaud, La forme d'une ville change plus vite, hélas, que le cœur des humains.	Des inconnues.
2001	11 septembre : attentats contre le World Trade Center à New York.	Robbe-Grillet, La Reprise.	La Petite Bijou.
2002	Réélection de Jacques Chirac.	Quignard, Les Ombres errantes.	Éphéméride.
2003	Seconde guerre du Golfe contre l'Irak.	Bergounioux, Back in the sixties.	Accident nocturne.

Dora Bruder

Il y a huit ans, dans un vieux journal, *Paris-Soir*, qui datait du 31 décembre 1941, je suis tombé à la page trois sur une rubrique : «D'hier à aujourd'hui». Au bas de celle-ci, j'ai lu :

«PARIS
On recherche une jeune fille, Dora Bruder, 15 ans, 1 m 55, visage ovale, yeux gris-marron, manteau sport gris, pull-over bordeaux, jupe et chapeau bleu marine, chaussures sport marron. Adresser toutes indications à M. et Mme Bruder, 41 boulevard Ornano, Paris.»

Ce quartier du boulevard Ornano, je le connais depuis longtemps. Dans mon enfance, j'accompagnais ma mère au marché aux Puces de Saint-Ouen. Nous descendions de l'autobus à la porte de Clignancourt et quelquefois devant la mairie du XVIIIᵉ arrondissement. C'était toujours le samedi ou le dimanche après-midi.

En hiver, sur le trottoir de l'avenue, le long de la caserne Clignancourt, dans le flot des passants, se tenait, avec son appareil à trépied, le gros photographe au nez grumeleux et aux lunettes rondes qui proposait une «photo souvenir». L'été, il se postait sur les planches de Deauville, devant le bar du Soleil. Il y trouvait des clients. Mais là, porte de Clignancourt, les passants ne semblaient pas vouloir se faire photographier. Il portait un vieux pardessus et l'une de ses chaussures était trouée.

Je me souviens du boulevard Barbès et du boulevard Ornano déserts, un dimanche après-midi de soleil, en mai 1958. À chaque carrefour, des groupes de gardes mobiles, à cause des événements d'Algérie.

J'étais dans ce quartier l'hiver 1965. J'avais une amie qui habitait rue Championnet. Ornano 49-20.

Déjà, à l'époque, le flot des passants du dimanche, le long de la caserne, avait dû emporter le gros photographe, mais je ne suis jamais allé vérifier. À quoi avait-elle servi, cette caserne? On m'avait dit qu'elle abritait des troupes coloniales.

Janvier 1965. La nuit tombait vers six heures sur le carrefour du boulevard Ornano et de la rue Championnet. Je n'étais rien, je me confondais avec ce crépuscule, ces rues.

Le dernier café, au bout du boulevard Ornano, côté numéros pairs, s'appelait «Verse Toujours». À gauche, au coin du boulevard Ney, il y en avait un autre, avec un juke-box. Au carrefour Ornano-Championnet, une pharmacie, deux cafés, l'un plus ancien, à l'angle de la rue Duhesme.

Ce que j'ai pu attendre dans ces cafés... Très tôt le matin quand il faisait nuit. En fin d'après-midi à la tombée de la nuit. Plus tard, à l'heure de la fermeture...

Le dimanche soir, une vieille automobile de sport noire – une Jaguar, me semble-t-il – était garée rue Championnet, à la hauteur de l'école maternelle. Elle portait une plaque à l'arrière : G.I.G. Grand invalide de guerre. La présence de cette voiture dans le quartier m'avait frappé. Je me demandais quel visage pouvait bien avoir son propriétaire.

À partir de neuf heures du soir, le boulevard était désert. Je revois encore la lumière de la bouche du métro Simplon, et, presque en face, celle de l'entrée du cinéma Ornano 43. L'immeuble du 41, précédant le cinéma, n'avait jamais attiré mon attention, et pourtant je suis passé devant lui pendant des mois, des années. De 1965 à 1968. Adresser toutes indications à M. et Mme Bruder, 41 boulevard Ornano, Paris.

D'hier à aujourd'hui. Avec le recul des années, les perspectives se brouillent pour moi, les hivers se mêlent l'un à l'autre. Celui de 1965 et celui de 1942.

En 1965, je ne savais rien de Dora Bruder. Mais aujourd'hui, trente ans après, il me semble que ces longues attentes dans les cafés du carrefour Ornano, ces itinéraires, toujours les mêmes – je suivais la rue du Mont-Cenis pour rejoindre les hôtels de la Butte Montmartre : l'hôtel Roma, l'Alsina ou le Terrass, rue Caulaincourt –, et ces impressions fugitives que j'ai gardées : une nuit de printemps où l'on entendait des éclats de voix sous les arbres du square Clignancourt, et l'hiver, de nouveau, à mesure que l'on descendait vers Simplon et le boulevard Ornano, tout cela n'était pas dû simplement au hasard. Peut-être, sans que j'en éprouve encore une claire conscience, étais-je sur la trace de Dora Bruder et de ses parents. Ils étaient là, déjà, en filigrane.

J'essaye de trouver des indices, les plus lointains dans le temps. Vers douze ans, quand j'accompagnais ma mère au marché aux Puces de Clignancourt, un juif polonais vendait des valises, à droite, au début de l'une de ces allées bordées de stands, marché Malik, marché Vernaison… Des valises luxueuses, en cuir, en crocodile, d'autres en carton bouilli, des sacs de voyage, des malles-cabines portant des étiquettes de compagnies transatlantiques – toutes empilées les unes sur les autres. Son stand à lui était à ciel ouvert. Il avait toujours au coin des lèvres une cigarette et, un après-midi, il m'en avait offert une.

Je suis allé quelquefois au cinéma, boulevard Ornano. Au Clignancourt Palace, à la fin du boulevard, à côté de «Verse Toujours». Et à l'Ornano 43.

J'ai appris plus tard que l'Ornano 43 était un très ancien cinéma. On l'avait reconstruit au cours des années trente, en lui donnant une allure de paquebot. Je suis retourné dans ces parages au mois de mai 1996. Un magasin a remplacé le cinéma. On traverse la rue Hermel et l'on arrive devant l'immeuble du 41 boulevard Ornano, l'adresse indiquée dans l'avis de recherche de Dora Bruder.

Un immeuble de cinq étages de la fin du XIXe siècle. Il forme avec le 39 un bloc entouré par le boulevard, le débouché de la rue Hermel et la rue du Simplon qui passe derrière les deux immeubles. Ceux-ci sont semblables. Le 39 porte une inscription indiquant le nom de son architecte, un certain Richefeu, et la date de sa construction : 1881. Il en va certainement de même pour le 41.

Avant la guerre et jusqu'au début des années cinquante, le 41 boulevard Ornano était un hôtel, ainsi que le 39, qui s'appelait l'hôtel du Lion d'Or. Au 39 également, avant la guerre, un café-restaurant tenu par un certain Gazal. Je n'ai pas retrouvé le nom de l'hôtel du 41. Au début des années cinquante, figure à cette adresse une Société Hôtel et Studios Ornano, Montmartre 12-54. Et aussi, comme avant la guerre, un café dont le patron s'appelait Marchal. Ce café n'existe plus. Occupait-il le côté droit ou le côté gauche de la porte cochère ?

Celle-ci ouvre sur un assez long couloir. Tout au fond, l'escalier part vers la droite.

Il faut longtemps pour que resurgisse à la lumière ce qui a été effacé. Des traces subsistent dans des registres et l'on ignore où ils sont cachés et quels gardiens veillent sur eux et si ces gardiens consentiront à vous les montrer. Ou peut-être ont-ils oublié tout simplement que ces registres existaient.

Il suffit d'un peu de patience.

Ainsi, j'ai fini par savoir que Dora Bruder et ses parents habitaient déjà l'hôtel du boulevard Ornano dans les années 1937 et 1938. Ils occupaient une chambre avec cuisine au cinquième étage, là où un balcon de fer court autour des deux immeubles. Une dizaine de fenêtres, à ce cinquième étage. Deux ou trois donnent sur le boulevard et les autres sur la fin de la rue Hermel et, derrière, sur la rue du Simplon.

Ce jour de mai 1996 où je suis revenu dans le quartier, les volets rouillés des deux premières fenêtres du cinquième étage qui donnaient rue du Simplon étaient fermés, et devant ces fenêtres, sur le balcon, j'ai remarqué tout un amas d'objets hétéroclites qui semblaient abandonnés là depuis longtemps.

Au cours des deux ou trois années qui ont précédé la guerre, Dora Bruder devait être inscrite dans l'une des écoles communales du quartier. J'ai écrit une lettre au directeur de chacune d'elles en lui demandant s'il pouvait retrouver son nom sur les registres :

8 rue Ferdinand-Flocon.

20 rue Hermel.

7 rue Championnet.

61 rue de Clignancourt.

Ils m'ont répondu gentiment. Aucun n'avait retrouvé ce nom dans la liste des élèves des classes d'avant-guerre. Enfin, le directeur de l'ancienne école de filles du 69 rue Championnet m'a proposé de venir consulter moi-même les registres. Un jour, j'irai. Mais j'hésite. Je veux encore espérer que son nom figure là-bas. C'était l'école la plus proche de son domicile.

J'ai mis quatre ans avant de découvrir la date exacte de sa naissance : le 25 février 1926. Et deux ans ont encore été nécessaires pour connaître le lieu de cette naissance : Paris, XIIe arrondissement. Mais je suis patient. Je peux attendre des heures sous la pluie.

Un vendredi après-midi de février 1996, je suis allé à la mairie du XIIe arrondissement, service de l'état civil. Le préposé de ce service – un jeune homme – m'a tendu une fiche que je devais remplir :

«Demandeur au guichet : Mettez votre
Nom

Prénom
Adresse
Je demande la copie intégrale d'acte de naissance concernant :
Nom BRUDER Prénom DORA
Date de naissance : 25 février 1926
Cochez si vous êtes :
L'intéressé demandeur
Le père ou la mère
Le grand-père ou la grand-mère
Le fils ou la fille
Le conjoint ou la conjointe
Le représentant légal
Vous avez une procuration plus une carte d'identité de l'intéressé(e)
En dehors de ces personnes, il ne sera pas délivré de copie d'acte de naissance. »

J'ai signé la fiche et je la lui ai tendue. Après l'avoir consultée, il m'a dit qu'il ne pouvait pas me donner la copie intégrale de l'acte de naissance : je n'avais aucun lien de parenté avec cette personne.

Un moment, j'ai pensé qu'il était l'une de ces sentinelles de l'oubli chargées de garder un secret honteux, et d'interdire à ceux qui le voulaient de retrouver la moindre trace de l'existence de quelqu'un. Mais il avait une bonne tête. Il m'a conseillé de demander une dérogation au Palais de Justice, 2 boulevard du Palais, 3e section de l'état civil, 5e étage, escalier 5, bureau 501. Du lundi au vendredi, de 14 à 16 heures.

Au 2 boulevard du Palais, je m'apprêtais à franchir les grandes grilles et la cour principale, quand un planton m'a indiqué une autre entrée, un peu plus bas : celle qui donnait accès à la Sainte-Chapelle. Une queue de touristes attendait, entre les barrières, et j'ai voulu passer directement sous le porche, mais un autre planton, d'un geste brutal, m'a signifié de faire la queue avec les autres.

Au bout d'un vestibule, le règlement exigeait que l'on sorte tous les objets en métal qui étaient dans vos poches. Je n'avais sur moi qu'un trousseau de clés. Je devais le poser sur une sorte de tapis roulant et le récupérer de l'autre côté d'une vitre, mais sur le moment je n'ai rien compris à cette manœuvre. À cause de mon hésitation, je me suis fait un peu rabrouer par un autre planton. Était-ce un gendarme ? Un policier ? Fallait-il aussi que je lui donne, comme à l'entrée d'une prison, mes lacets, ma ceinture, mon portefeuille ?

J'ai traversé une cour, je me suis engagé dans un couloir, j'ai débouché dans un hall très vaste où marchaient des hommes et des femmes qui tenaient à la main des serviettes noires et dont quelques-uns portaient des robes d'avocat. Je n'osais pas leur demander par où l'on accédait à l'escalier 5.

Un gardien assis derrière une table m'a indiqué l'extrémité du hall. Et là j'ai pénétré dans une salle déserte dont les fenêtres en surplomb laissaient passer un jour grisâtre. J'avais beau arpenter cette salle, je ne trouvais pas l'escalier 5. J'étais pris de cette panique et de ce vertige que l'on ressent dans les mauvais rêves, lorsqu'on ne parvient pas à rejoindre une gare et que l'heure avance et que l'on va manquer le train.

Il m'était arrivé une aventure semblable, vingt ans auparavant. J'avais appris que mon père était hospitalisé à la Pitié-Salpêtrière. Je ne l'avais plus revu depuis la fin de mon adolescence. Alors, j'avais décidé de lui rendre visite à l'improviste.

Je me souviens d'avoir erré pendant des heures à travers l'immensité de cet hôpital, à sa recherche. J'entrais dans des bâtiments très anciens, dans des salles communes où étaient alignés des lits, je questionnais des infirmières qui me donnaient des renseignements contradictoires. Je finissais par douter de l'existence de mon père en passant et repassant devant cette église majestueuse et ces corps de bâtiment irréels, intacts depuis le XVIIIe siècle et qui m'évoquaient Manon Lescaut et l'époque où ce lieu servait de prison aux filles, sous le nom sinistre d'Hôpital Général, avant qu'on les déporte en Louisiane. J'ai arpenté les cours pavées jusqu'à ce que le soir tombe. Impossible de trouver mon père. Je ne l'ai plus jamais revu.

Mais j'ai fini par découvrir l'escalier 5. J'ai monté les étages. Une suite de bureaux. On m'a indiqué celui qui portait le numéro 501. Une femme aux cheveux courts, l'air indifférent, m'a demandé ce que je voulais.

D'une voix sèche, elle m'a expliqué que pour obtenir cet extrait d'acte de naissance, il fallait écrire à M. le procureur de la République, Parquet de grande instance de Paris, 14 quai des Orfèvres, 3e section B.

Au bout de trois semaines, j'ai obtenu une réponse.

«Le vingt-cinq février mil neuf cent vingt-six, vingt et une heures dix, est née, rue Santerre 15, Dora, de sexe féminin, de Ernest Bruder né à Vienne (Autriche) le vingt et un mai mil huit cent quatre-vingt-dix-neuf, manœuvre, et de Cécile Burdej, née à Budapest (Hongrie) le dix-sept avril mil neuf cent sept, sans profession, son épouse, domiciliés à Sevran (Seine-et-Oise) avenue Liégeard 2. Dressé le vingt-sept février mil neuf cent vingt-six, quinze heures trente, sur la déclaration de Gaspard Meyer, soixante-treize ans, employé et domicilié rue de Picpus 76, ayant assisté à l'accouchement, qui, lecture faite, a signé avec Nous, Auguste Guillaume Rosi, adjoint au maire du douzième arrondissement de Paris.»

Le 15 de la rue Santerre est l'adresse de l'hôpital Rothschild. Dans le service maternité de celui-ci sont nés, à la même époque que Dora, de nombreux enfants de familles juives pauvres qui venaient d'immigrer en France. Il semble qu'Ernest Bruder n'ait pas pu s'absenter de son travail pour déclarer lui-même sa fille ce jeudi 25 février 1926, à la mairie du XIIe arrondissement. Peut-être trouverait-on sur un registre quelques indications concernant Gaspard Meyer, qui a signé au bas de l'acte de naissance. Le 76 rue de Picpus, là où il était «employé et domicilié», était l'adresse de l'hospice de Rothschild, créé pour les vieillards et les indigents.

Les traces de Dora Bruder et de ses parents, cet hiver de 1926, se perdent dans la banlieue nord-est, au bord du canal de l'Ourcq. Un jour, j'irai à Sevran, mais je crains que là-bas les maisons et les rues aient changé d'aspect, comme dans toutes les banlieues. Voici les noms de quelques établissements, de quelques habitants de l'avenue Liégeard de ce temps-là : le Trianon de Freinville occupait le 24. Un café? Un cinéma? Au 31, il y avait les Caves de l'Île-de-France. Un docteur Jorand était au 9, un pharmacien, Platel, au 30.

Cette avenue Liégeard où habitaient les parents de Dora faisait partie d'une agglomération qui s'étendait sur les communes de Sevran, de Livry-Gargan et d'Aulnay-sous-Bois, et que l'on avait appelée Freinville. Le quartier était né autour de l'usine de freins Westinghouse, venue s'installer là au début du siècle. Un quartier d'ouvriers. Il avait essayé de conquérir l'autonomie communale dans les années trente, sans y parvenir. Alors, il avait continué de dépendre des trois communes voisines. Il avait quand même sa gare : Freinville.

Ernest Bruder, le père de Dora, était sûrement, en cet hiver de 1926, manœuvre à l'usine de freins Westinghouse.

Ernest Bruder. Né à Vienne, Autriche, le 21 mai 1899. Il a dû passer son enfance à Leopoldstadt, le quartier juif de cette ville. Ses parents à lui étaient sans doute originaires de Galicie, de Bohême ou de Moravie, comme la plupart des juifs de Vienne, qui venaient des provinces de l'est de l'Empire.

En 1965, j'ai eu vingt ans, à Vienne, la même année où je fréquentais le quartier Clignancourt. J'habitais Taubstummengasse, derrière l'église Saint-Charles. J'avais passé quelques nuits dans un hôtel borgne, près de la gare de l'Ouest. Je me souviens des soirs d'été à Sievering et à Grinzing, et dans les parcs où jouaient des orchestres. Et d'un petit cabanon au milieu d'une sorte de jardin ouvrier, du côté d'Heilingenstadt. Ces samedis et ces dimanches de juillet, tout était fermé, même le café Hawelka. La ville était déserte. Sous le soleil, le tramway glissait à travers les quartiers du nord-ouest jusqu'au parc de Pötzleinsdorf.

Un jour, je retournerai à Vienne que je n'ai pas revue depuis plus de trente ans. Peut-être retrouverai-je l'acte de naissance d'Ernest Bruder dans le registre d'état civil de Vienne. Je saurai les lieux de naissance de ses parents. Et où était leur domicile, quelque part dans cette zone du deuxième arrondissement que bordent la gare du Nord, le Prater, le Danube.

Il a connu, enfant et adolescent, la rue du Prater avec ses cafés, son théâtre où jouaient les Budapester. Et le pont de Suède. Et la cour de la Bourse du commerce, du côté de la Taborstrasse. Et le marché des Carmélites.

À Vienne, en 1919, ses vingt ans ont été plus durs que les miens. Depuis les premières défaites des armées autrichiennes, des dizaines de milliers de réfugiés fuyant la Galicie, la Bukovine ou l'Ukraine étaient arrivés par vagues successives, et s'entassaient dans les taudis autour de la gare du Nord. Une ville à la dérive, coupée de son empire qui n'existait plus. Ernest Bruder ne devait pas se distinguer de ces groupes de chômeurs errant à travers les rues aux magasins fermés.

Peut-être était-il d'origine moins misérable que les réfugiés de l'Est ? Fils d'un commerçant de la Taborstrasse ? Comment le savoir ?

Sur une petite fiche parmi des milliers d'autres établies une vingtaine d'années plus tard pour organiser les rafles de l'Occupation et qui traînaient jusqu'à ce jour au ministère des Anciens Combattants, il est indiqué qu'Ernest Bruder a été «2e classe, légionnaire français». Il s'est donc engagé dans la Légion étrangère sans que je puisse préciser à quelle date. 1919 ? 1920 ?

On s'engageait pour cinq ans. Il n'était même pas besoin de gagner la France, il suffisait de se présenter dans un consulat français. Ernest Bruder l'a-t-il fait en Autriche ? Ou bien était-il déjà en France à ce moment-là ? En tout cas, il est probable qu'on l'a dirigé, avec d'autres Allemands et Autrichiens comme lui, vers les casernes de Belfort et de Nancy, où on ne les traitait pas avec beaucoup de ménagement. Puis c'était Marseille et le fort Saint-Jean, et là non plus l'accueil n'était pas très chaleureux. Ensuite la traversée : il paraît que Lyautey avait besoin de trente mille soldats au Maroc.

J'essaye de reconstituer le périple d'Ernest Bruder. La prime que l'on touche à Sidi Bel Abbes. La plupart des engagés – Allemands, Autrichiens, Russes, Roumains, Bulgares – se trouvent dans un tel état de misère qu'ils sont stupéfaits qu'on puisse leur donner cette prime. Ils n'y croient pas. Vite, ils glissent l'argent dans leur poche, comme si on allait le leur reprendre. Puis c'est l'entraînement, les courses sur les dunes, les marches interminables sous le soleil de plomb de l'Algérie. Les engagés venant de l'Europe centrale comme Ernest Bruder ont du mal à supporter cet entraînement : ils avaient été sous-alimentés pendant leur adolescence, à cause du rationnement des quatre années de guerre.

Ensuite, les casernes de Meknès, de Fez ou de Marrakech. On les envoie en opération afin de pacifier les territoires encore insoumis du Maroc.

Avril 1920. Combat à Bekrit et au Ras-Tarcha. Juin 1921. Combat du bataillon de la légion du commandant Lambert sur le Djebel Hayane. Mars 1922. Combat du Chouf-ech-Cherg. Capitaine Roth. Mai 1922. Combat du Tizi Adni. Bataillon de légion Nicolas. Avril 1923. Combat d'Arbala. Combats de la tache de Taza. Mai 1923. Engagements très durs à Bab-Brida du Talrant que les légionnaires du commandant Naegelin enlèvent sous un feu intense. Dans la nuit du 26, le bataillon de légion Naegelin occupe par surprise le massif de l'Ichendirt. Juin 1923. Combat du Tadout. Le bataillon de la légion Naegelin enlève la crête. Les légionnaires plantent le pavillon tricolore sur une grande casbah, au son des clairons. Combat de l'Oued Athia où le bataillon de légion Barrière doit charger deux fois à la baïonnette. Le bataillon de légion Buchsenschutz enlève les retranchements du piton sud du Bou-Khamouj. Combat de la cuvette d'El-Mers. Juillet 1923. Combat du plateau d'Immouzer. Bataillon de légion Cattin. Bataillon de légion Buchsenschutz. Bataillon de légion Susini et Jenoudet. Août 1923. Combat de l'Oued Tamghilt.

La nuit, dans ce paysage de sable et de caillasses, rêvait-il à Vienne, sa ville natale, aux marronniers de la Hauptallee? La petite fiche d'Ernest Bruder, «2ᵉ classe légionnaire français», indique aussi: «mutilé de guerre 100%». Dans lequel de ces combats a-t-il été blessé?

À vingt-cinq ans, il s'est retrouvé sur le pavé de Paris. On avait dû le libérer de son engagement à la Légion à cause de sa blessure. Je suppose qu'il n'en a parlé à personne. Et cela n'intéressait personne. On ne lui a pas donné la nationalité française. La seule fois où j'ai vu mentionner sa blessure, c'était bien dans l'une des fiches de police qui servaient aux rafles de l'Occupation.

En 1924, Ernest Bruder se marie avec une jeune fille de seize ans, Cécile Burdej, place Jules-Joffrin, à la mairie du XVIIIe arrondissement :

« Le douze avril mil neuf cent vingt-quatre, onze heures vingt-huit minutes, devant nous ont comparu publiquement en la mairie : Ernest Bruder, manœuvre, né à Vienne (Autriche) le vingt et un mai mil huit cent quatre-vingt-dix-neuf, vingt-quatre ans, domicilié à Paris, 17 rue Bachelet, fils de Jacob Bruder et de Adèle Vaschitz, époux décédés, d'une part/et Cécile Burdej, couturière, née à Budapest (Hongrie) le dix-sept avril mille neuf cent sept, seize ans, domiciliée à Paris 17 rue Bachelet, chez ses père et mère, fille de Erichel Burdej, tailleur, et de Dincze Kutinea son épouse.

En présence de Oscar Valdmann, représentant, 56 rue Labat, et de Simon Sirota, tailleur, 20 rue Custine, témoins majeurs, qui lecture faite ont signé avec les époux et Nous Étienne Ardely adjoint au maire du XVIIIe arrondissement de Paris. Les père et mère de l'épouse ont déclaré ne savoir signer. »

Cécile Burdej était arrivée de Budapest à Paris, l'année

précédente, avec ses parents, ses quatre sœurs et son frère. Une famille juive originaire de Russie, mais qui s'était sans doute fixée à Budapest au début du siècle.

La vie était aussi dure à Budapest qu'à Vienne, après la Première Guerre, et il fallut encore fuir vers l'ouest. Ils avaient échoué à Paris, à l'asile israélite de la rue Lamarck. Dans le mois de leur arrivée rue Lamarck, trois des filles, âgées de quatorze ans, de douze ans et de dix ans, étaient mortes de la fièvre typhoïde.

La rue Bachelet où habitaient Cécile et Ernest Bruder au moment de leur mariage est une toute petite rue sur la pente sud de Montmartre. Le 17 était un hôtel où Ernest Bruder se réfugia sans doute à son retour de la Légion. Je suppose que c'est là qu'il a connu Cécile. Il y avait encore à cette adresse un «café-hôtel» en 1964. Depuis, un immeuble a été construit à l'emplacement du 17 et du 15. Il porte seulement le numéro 15. On a jugé plus simple de ne garder qu'un seul numéro.

Les années qui ont suivi leur mariage, après la naissance de Dora, ils ont toujours habité dans des chambres d'hôtel.

Ce sont des personnes qui laissent peu de traces derrière elles. Presque des anonymes. Elles ne se détachent pas de certaines rues de Paris, de certains paysages de banlieue, où j'ai découvert, par hasard, qu'elles avaient habité. Ce que l'on sait d'elles se résume souvent à une simple adresse. Et cette précision topographique contraste avec ce que l'on ignorera pour toujours de leur vie – ce blanc, ce bloc d'inconnu et de silence.

J'ai retrouvé une nièce d'Ernest et de Cécile Bruder. Je lui ai parlé au téléphone. Les souvenirs qu'elle garde d'eux sont des souvenirs d'enfance, flous et précis en même temps. Elle se rappelle la gentillesse et la douceur de son oncle. C'est elle qui m'a donné les quelques détails que j'ai notés sur leur famille. Elle a entendu dire qu'avant d'habiter l'hôtel du boulevard Ornano, Ernest, Cécile Bruder et leur fille Dora avaient vécu dans un autre hôtel. Une rue qui donnait dans la rue des Poissonniers. Je regarde le plan, je lui cite les rues au fur et à mesure. Oui, c'était la rue Poloncau. Mais elle n'a jamais entendu parler de la rue Bachelet ni de Sevran, ni de Freinville ni de l'usine Westinghouse.

On se dit qu'au moins les lieux gardent une légère empreinte des personnes qui les ont habités. Empreinte : marque en creux ou en relief. Pour Ernest et Cécile Bruder, pour Dora, je dirai : en creux. J'ai ressenti une impression d'absence et de vide, chaque fois que je me suis trouvé dans un endroit où ils avaient vécu.

Deux hôtels, à cette époque, rue Poloncau : l'un, au 49, était tenu par un dénommé Rouquette. Dans l'annuaire, il figurait sous l'appellation «Hôtel Vin». Le second, au 32, avait pour patron un certain Charles Campazzi. Ces hôtels ne portaient pas de nom. Aujourd'hui, ils n'existent plus.

Vers 1968, je suivais souvent les boulevards, jusque sous les arches du métro aérien. Je partais de la place Blanche. En décembre, les baraques foraines occupaient le terreplein. Les lumières décroissaient à mesure que l'on approchait du boulevard de la Chapelle. Je ne savais encore rien de Dora Bruder et de ses parents. Je me souviens que j'éprouvais une drôle de sensation en longeant le mur de l'hôpital Lariboisière, puis en passant au-dessus des voies ferrées, comme si j'avais pénétré dans la zone la plus obscure de Paris. Mais c'était simplement le contraste entre les lumières trop vives du boulevard de Clichy et le mur noir, interminable, la pénombre sous les arches du métro…

Dans mon souvenir, ce quartier de la Chapelle m'apparaît aujourd'hui tout en lignes de fuite à cause des voies ferrées, de la proximité de la gare du Nord, du fracas des rames de métro qui passaient très vite au-dessus de ma tête… Personne ne devait se fixer longtemps par ici. Un carrefour où chacun partait de son côté, aux quatre points cardinaux.

Et pourtant, j'ai relevé les adresses des écoles du quartier où je trouverais peut-être, dans les registres, le nom de Dora Bruder, si ces écoles existent encore :

École maternelle : 3 rue Saint-Luc.

Écoles primaires communales de filles : 11 rue Cavé, 43 rue des Poissonniers, impasse d'Oran.

Et les années se sont écoulées, porte de Clignancourt, jusqu'à la guerre. Je ne sais rien d'eux, au cours de ces années. Cécile Bruder travaillait-elle déjà comme «ouvrière fourreuse», ou bien «ouvrière en confection salariée», ainsi qu'il est écrit sur les fiches? D'après sa nièce, elle était employée dans un atelier, du côté de la rue du Ruisseau, mais elle n'en est pas sûre. Ernest Bruder était-il toujours manœuvre, non plus à l'usine Westinghouse de Freinville, mais quelque part dans une autre banlieue? Ou bien lui aussi avait-il trouvé une place dans un atelier de confection à Paris? Sur la fiche de lui qui a été faite pendant l'Occupation et où j'ai lu : «Mutilé de guerre 100%. 2e classe, légionnaire français», il est écrit à côté du mot profession : «Sans».

Quelques photos de cette époque. La plus ancienne, le jour de leur mariage. Ils sont assis, accoudés à une sorte de guéridon. Elle est enveloppée d'un grand voile blanc qui semble noué sur le côté gauche de son visage et qui traîne jusqu'à terre. Il est en habit et porte un nœud papillon blanc. Une photo avec leur fille Dora. Ils sont assis, Dora debout entre eux : elle n'a pas plus de deux ans. Une photo de

Dora, prise certainement à l'occasion d'une distribution des prix. Elle a douze ans, environ, elle porte une robe et des socquettes blanches. Elle tient dans la main droite un livre. Ses cheveux sont entourés d'une petite couronne dont on dirait que ce sont des fleurs blanches. Elle a posé sa main gauche sur le rebord d'un grand cube blanc ornementé de barres noires aux motifs géométriques, et ce cube blanc doit être là pour le décor. Une autre photo, prise dans le même lieu, à la même époque et peut-être le même jour : on reconnaît le carrelage du sol et ce grand cube blanc aux motifs noirs géométriques sur lequel est assise Cécile Bruder. Dora est debout à sa gauche dans une robe à col, le bras gauche replié devant elle afin de poser la main sur l'épaule de sa mère. Une autre photo de Dora et de sa mère : Dora a environ douze ans, les cheveux plus courts que sur la photo précédente. Elles sont debout devant ce qui semble un vieux mur, mais qui doit être le panneau du photographe. Elles portent toutes les deux une robe noire et un col blanc. Dora se tient légèrement devant sa mère et à sa droite. Une photo de forme ovale où Dora est un peu plus âgée – treize, quatorze ans, les cheveux plus longs – et où ils sont tous les trois comme en file indienne, mais le visage face à l'objectif : d'abord Dora et sa mère, toutes deux en chemisier blanc, et Ernest Bruder, en veste et cravate. Une photo de Cécile Bruder, devant ce qui semble un pavillon de banlieue. Au premier plan, à gauche, une masse de lierre recouvre le mur. Elle est assise sur le bord de trois marches en ciment. Elle porte une robe claire d'été. Au fond, la silhouette d'un enfant, de dos, les jambes et les bras nus, en tricot noir ou en maillot de bain. Dora ? Et la façade d'un autre pavillon derrière une barrière de bois, avec un porche et une seule fenêtre à l'étage. Où cela peut-il être ?

Une photo plus ancienne de Dora seule, à neuf ou dix ans. On dirait qu'elle est sur un toit, juste dans un rayon de soleil, avec de l'ombre tout autour. Elle porte une blouse et des socquettes blanches, elle tient son bras gauche replié sur sa hanche et elle a posé le pied droit sur le rebord de béton de ce qui pourrait être une grande cage ou une grande volière, mais on ne distingue pas, à cause de l'ombre, les animaux ou les oiseaux qui y sont enfermés. Ces ombres et ces taches de soleil sont celles d'un jour d'été.

Il y a eu d'autres journées d'été dans le quartier Clignancourt. Ses parents ont emmené Dora au cinéma Ornano 43. Il suffisait de traverser la rue. Ou bien y est-elle allée toute seule ? Très jeune, selon sa cousine, elle était déjà rebelle, indépendante, cavaleuse. La chambre d'hôtel était bien trop exiguë pour trois personnes.

Petite, elle a dû jouer dans le square Clignancourt. Le quartier, par moments, ressemblait à un village. Le soir, les voisins disposaient des chaises sur les trottoirs et bavardaient entre eux. On allait boire une limonade à la terrasse d'un café. Quelquefois, des hommes, dont on ne savait pas si c'étaient de vrais chevriers ou des forains, passaient avec quelques chèvres et vendaient un grand verre de lait pour dix sous. La mousse vous faisait une moustache blanche.

À la porte de Clignancourt, le bâtiment et la barrière de l'octroi. À gauche, entre les blocs d'immeubles du boulevard Ney et le marché aux Puces, s'étendait tout un quartier de baraques, de hangars, d'acacias et de maisons basses que l'on a détruit. Vers quatorze ans, ce terrain vague m'avait frappé. J'ai cru le reconnaître sur deux ou trois photos, prises l'hiver : une sorte d'esplanade où l'on voit passer un autobus. Un camion est à l'arrêt, on dirait pour toujours. Un champ de neige au bord duquel attendent une roulotte et un cheval noir. Et, tout au fond, la masse brumeuse des immeubles.

Je me souviens que pour la première fois, j'avais ressenti le vide que l'on éprouve devant ce qui a été détruit, rasé net. Je ne connaissais pas encore l'existence de Dora Bruder. Peut-être – mais j'en suis sûr – s'est-elle promenée là, dans cette zone qui m'évoque les rendez-vous d'amour secrets, les pauvres bonheurs perdus. Il flottait encore par ici des souvenirs de campagne, les rues s'appelaient : allée du Puits, allée du Métro, allée des Peupliers, impasse des Chiens.

Le 9 mai 1940, Dora Bruder, à quatorze ans, est inscrite dans un internat religieux, l'œuvre du Saint-Cœur-de-Marie, que dirigent les Sœurs des Écoles chrétiennes de la Miséricorde, au 60, 62 et 64 rue de Picpus, dans le XIIe arrondissement.

Le registre de l'internat porte les mentions suivantes :

« Nom et prénom : Bruder, Dora

Date et lieu de naissance : 25 février 1926 Paris XIIe de Ernest et de Cécile Burdej, père et mère

Situation de famille : enfant légitime

Date et conditions d'admission : 9 mai 1940

Pension complète

Date et motif de sortie :

14 décembre 1941
Suite de fugue. »

Pour quelles raisons ses parents l'ont-ils inscrite dans cet internat ? Sans doute parce qu'il était difficile de continuer d'habiter à trois dans la chambre d'hôtel du boulevard Ornano. Je me suis demandé si Ernest et Cécile Bruder n'étaient pas sous la menace d'une mesure d'internement, en qualité de «ressortissants du Reich» et «ex-Autrichiens», l'Autriche n'existant plus depuis 1938 et faisant partie désormais du «Reich».

On avait interné, à l'automne 1939, les ressortissants du «Reich» et les ex-Autrichiens de sexe masculin dans des camps de «rassemblement». On les avait divisés en deux catégories : suspects et non-suspects. Les non-suspects avaient été rassemblés au stade Yves-du-Manoir, à Colombes. Puis, en décembre, ils avaient rejoint des groupements dits «de prestataires étrangers». Ernest Bruder avait-il fait partie de ces prestataires?

Le 13 mai 1940, quatre jours après l'arrivée de Dora au pensionnat du Saint-Cœur-de-Marie, c'était au tour des femmes ressortissantes du Reich et ex-autrichiennes d'être convoquées au Vélodrome d'hiver, et d'y être internées pendant treize jours. Puis, à l'approche des troupes allemandes, on les avait transportées dans les Basses-Pyrénées, au camp de Gurs. Cécile Bruder avait-elle reçu elle aussi une convocation?

On vous classe dans des catégories bizarres dont vous n'avez jamais entendu parler et qui ne correspondent pas à ce que vous êtes réellement. On vous convoque. On vous interne. Vous aimeriez bien comprendre pourquoi.

Je me demande aussi par quel hasard Cécile et Ernest Bruder ont connu l'existence de ce pensionnat du Saint-Cœur-de-Marie. Qui leur avait donné le conseil d'y inscrire Dora?

Déjà, à quatorze ans, je suppose qu'elle avait fait preuve d'indépendance, et le caractère rebelle dont m'a parlé sa cousine s'était sans doute manifesté. Ses parents ont jugé qu'elle avait besoin d'une discipline. Les élèves, au pensionnat du Saint-Cœur-de-Marie, étaient des filles d'origine modeste et l'on peut lire sur la note biographique de la supérieure de cet établissement, au temps où Dora y était interne : «Des enfants souvent privés de famille ou relevant de cas sociaux, ceux pour qui le Christ a toujours manifesté sa préférence.» Et, dans une brochure consacrée aux Sœurs des Écoles chrétiennes de la Miséricorde : «La fondation du Saint-Cœur-de-Marie était appelée à rendre d'éminents services aux enfants et jeunes filles de familles déshéritées de la capitale.»

Il y avait environ trois cents pensionnaires. Les «grandes» de douze à seize ans étaient divisées en deux catégories : les «classes» et les «ouvroirs». Les «classes» préparaient au brevet élémentaire, les «ouvroirs» au brevet d'art ménager. Dora Bruder était-elle aux «ouvroirs» ou aux «classes»? Ces Sœurs des Écoles chrétiennes de la Miséricorde, dont la maison mère était l'ancienne abbaye de Saint-Sauveur-le-Vicomte, en Normandie, avaient ouvert l'œuvre du Saint-Cœur-de-Marie en 1852, rue de Picpus. Il s'agissait, dès cette époque, d'un internat professionnel pour cinq cents filles d'ouvriers, avec soixante-quinze sœurs.

Au moment de la débâcle de juin 1940, les élèves et les sœurs quittent Paris et se réfugient en Maine-et-Loire. Dora a dû partir avec elles dans les derniers trains bondés, que l'on pouvait encore prendre gare d'Orsay ou d'Austerlitz. Elles ont suivi le long cortège des réfugiés sur les routes qui descendaient vers la Loire.

Le retour à Paris, en juillet. La vie d'internat. J'ignore quel uniforme portaient les pensionnaires. Tout simplement, les vêtements signalés dans l'avis de recherche de Dora, en décembre 1941 : pull-over bordeaux, jupe bleu marine, chaussures sport marron ? Et une blouse par-dessus ? Je devine à peu près les horaires des journées. Lever vers six heures. Chapelle. Salle de classe. Réfectoire. Salle de classe. Cour de récréation. Réfectoire. Salle de classe. Étude du soir. Chapelle. Dortoir. Sorties, les dimanches. Je suppose qu'entre ces murs la vie était rude pour ces filles à qui le Christ avait toujours manifesté sa préférence.

D'après ce qu'on m'a dit, les Sœurs des Écoles chrétiennes de la rue de Picpus avaient créé une colonie de vacances à Béthisy. Était-ce à Béthisy-Saint-Martin ou à Béthisy-Saint-Pierre ? Les deux villages sont dans l'arrondissement de Senlis, dans le Valois. Dora Bruder y a peut-être passé quelques jours avec ses camarades, l'été 1941.

Les bâtiments du Saint-Cœur-de-Marie n'existent plus. Leur ont succédé des immeubles récents qui laissent supposer que le pensionnat occupait un vaste terrain. Je n'ai aucune photo de ce pensionnat disparu. Sur un vieux plan de Paris, il est écrit à son emplacement : « Maison d'éducation religieuse. » On y voit quatre petits carrés et une croix figurant les bâtiments et la chapelle du pensionnat. Et la découpe du terrain, une bande étroite et profonde, allant de la rue de Picpus à la rue de Reuilly.

Sur le plan, en face du pensionnat, de l'autre côté de la rue de Picpus, se succèdent la congrégation de la Mère de

Dieu, puis les Dames de l'Adoration et l'Oratoire de Picpus, avec le cimetière où sont enterrées, dans une fosse commune, plus de mille victimes qui ont été guillotinées pendant les derniers mois de la Terreur. Sur le même trottoir que le pensionnat, et presque mitoyen de celui-ci, le grand terrain des Dames de Sainte-Clotilde. Puis les Dames Diaconesses où je me suis fait soigner, un jour, à dix-huit ans. Je me souviens du jardin des Diaconesses. J'ignorais à l'époque que cet établissement avait servi pour la rééducation des filles. Un peu comme le Saint-Cœur-de-Marie. Un peu comme le Bon-Pasteur. Ces endroits, où l'on vous enfermait sans que vous sachiez très bien si vous en sortiriez un jour, portaient décidément de drôles de noms : Bon-Pasteur d'Angers. Refuge de Darnetal. Asile Sainte-Madeleine de Limoges. Solitude-de-Nazareth.

Solitude.

Le Saint-Cœur-de-Marie, 60, 62 et 64 rue de Picpus, était situé au coin de cette rue et de la rue de la Gare-de-Reuilly. Celle-ci, du temps où Dora était pensionnaire, avait encore un aspect campagnard. Sur son côté impair courait un haut mur ombragé par les arbres du couvent.

Les rares détails que j'ai pu réunir sur ces lieux, tels que Dora Bruder les a vus chaque jour pendant près d'un an et demi, sont les suivants : le grand jardin longeait donc la rue de la Gare-de-Reuilly, et chacun des trois bâtiments principaux, sur la rue de Picpus, était séparé par une cour. Derrière eux s'étendaient leurs dépendances autour d'une chapelle. Près de celle-ci, sous une statue de la Vierge et des rochers figurant une grotte, avait été creusé le caveau funéraire des membres de la famille de Madre, bienfaitrice de ce pensionnat. On appelait ce monument «la grotte de Lourdes».

J'ignore si Dora Bruder s'était fait des amies au Saint-Cœur-de-Marie. Ou bien si elle demeurait à l'écart des autres. Tant que je n'aurai pas recueilli le témoignage de l'une de ses anciennes camarades, je serai réduit aux suppositions. Il doit bien exister aujourd'hui à Paris, ou quelque part dans la banlieue, une femme d'environ soixante-dix ans qui se souvienne de sa voisine de classe ou de dortoir d'un autre temps – cette fille qui s'appelait Dora, 15 ans, 1 m 55, visage ovale, yeux gris-marron, manteau sport gris, pull-over bordeaux, jupe et chapeau bleu marine, chaussures sport marron.

En écrivant ce livre, je lance des appels, comme des signaux de phare dont je doute malheureusement qu'ils puissent éclairer la nuit. Mais j'espère toujours.

La supérieure de ce temps-là, au Saint-Cœur-de-Marie, s'appelait mère Marie-Jean-Baptiste. Elle était née – nous dit sa notice biographique – en 1903. Après son noviciat, elle avait été envoyée à Paris, à la maison du Saint-Cœur-de-Marie, où elle est demeurée dix-sept ans, de 1929 à 1946. Elle avait à peine quarante ans, lorsque Dora Bruder y fut pensionnaire.

Elle était – d'après la notice – «indépendante et généreuse», et dotée d'«une forte personnalité». Elle est morte en 1985, trois ans avant que je connaisse l'existence de Dora Bruder. Elle devait certainement se souvenir d'elle – ne serait-ce qu'à cause de sa fugue. Mais, après tout, qu'aurait-elle pu m'apprendre ? Quelques détails, quelques petits faits quotidiens ? Si généreuse qu'elle fût, elle n'a certainement pas deviné ce qui se passait dans la tête de Dora Bruder, ni comment celle-ci vivait sa vie de pensionnaire ni la manière dont elle voyait chaque matin et chaque soir la chapelle, les faux rochers de la cour, le mur du jardin, la rangée des lits du dortoir.

J'ai retrouvé une femme qui a connu, en 1942, ce pensionnat, quelques mois après que Dora Bruder avait fait sa fugue. Elle était plus jeune que Dora, elle avait une dizaine d'années. Et le souvenir qu'elle a gardé du Saint-Cœur-de-Marie n'est qu'un souvenir d'enfance. Elle vivait seule avec sa mère, une juive d'origine polonaise, rue de Chartres, dans le quartier de la Goutte-d'Or, à quelques pas de la rue Polonceau où avaient habité Cécile, Ernest Bruder et Dora. Pour ne pas tout à fait mourir de faim, la mère travaillait en équipe de nuit dans un atelier où l'on fabriquait des moufles destinées à la Wehrmacht. La fille allait à l'école de la rue Jean-François-Lépine. À la fin de 1942, l'institutrice avait conseillé à sa mère de la cacher, à cause des rafles, et c'était sans doute elle qui lui avait indiqué l'adresse du Saint-Cœur-de-Marie.

On l'avait inscrite au pensionnat sous le nom de « Suzanne Albert » pour dissimuler ses origines. Bientôt elle était tombée malade. On l'avait envoyée à l'infirmerie. Là, il y avait un médecin. Au bout de quelque temps, comme elle refusait de manger, on n'avait plus voulu la garder.

Sans doute à cause de l'hiver et du black-out de ce temps-là elle se souvient que tout était noir dans ce pensionnat : les murs, les classes, l'infirmerie – sauf les coiffes blanches des sœurs. Selon elle, cela ressemblait plutôt à un orphelinat. Une discipline de fer. Pas de chauffage. On ne mangeait que des rutabagas. Les élèves faisaient la prière «à six heures», et j'ai oublié de lui demander si c'était six heures du matin ou six heures du soir.

L'été 1940 est passé, pour Dora, au pensionnat de la rue de Picpus. Elle allait certainement le dimanche retrouver ses parents qui occupaient encore la chambre d'hôtel du 41 boulevard Ornano. Je regarde le plan du métro et j'essaye d'imaginer le trajet qu'elle suivait. Pour éviter de trop nombreux changements de lignes, le plus simple était de prendre le métro à Nation, qui était assez proche du pensionnat. Direction Pont de Sèvres. Changement à Strasbourg-Saint-Denis. Direction Porte de Clignancourt. Elle descendait à Simplon, juste en face du cinéma et de l'hôtel.

Vingt ans plus tard, je prenais souvent le métro à Simplon. C'était toujours vers dix heures du soir. La station était déserte à cette heure-là et les rames ne venaient qu'à de longs intervalles.

Elle aussi devait suivre le même chemin de retour, le dimanche, en fin d'après-midi. Ses parents l'accompagnaient-ils? À Nation, il fallait encore marcher, et le plus court était de rejoindre la rue de Picpus par la rue Fabre-d'Églantine.

C'était comme de retourner en prison. Les jours raccourcissaient. Il faisait déjà nuit lorsqu'elle traversait la cour en passant devant les faux rochers du monument funéraire. Elle suivait les couloirs. La chapelle, pour le Salut du dimanche soir. Puis, en rang, en silence, jusqu'au dortoir.

Arrêt sur lecture 1

« Je forme une entreprise qui n'eut jamais d'exemple. » L'incipit des *Confessions* de Jean-Jacques Rousseau conviendrait parfaitement aux premières pages de *Dora Bruder*. Ce livre est en effet sans antécédents, ni dans l'œuvre de son auteur ni dans la littérature française. S'il ne s'agit pas d'un roman, ce n'est pas non plus à une biographie* de type classique que nous avons affaire, mais à une enquête suscitée par la simple lecture d'un avis de recherche, enquête au cours de laquelle l'auteur s'efforce de reconstruire non seulement l'histoire d'une jeune fille juive presque anonyme, mais aussi, à travers elle et la mémoire retrouvée des persécutions raciales de l'Occupation, sa propre identité blessée.

Un simple avis de recherche

En 1988, alors qu'il collecte des documents datant de l'Occupation, Patrick Modiano tombe sur un avis de recherche paru « dans un vieux journal, *Paris-Soir*, qui datait du 31 décembre 1941 :

> On recherche une jeune fille, Dora Bruder, 15 ans, 1 m 55, visage ovale, yeux gris marron, manteau sport gris, pull-over bordeaux, jupe et chapeau bleu marine, chaussures sport marron. Adresser toutes indications à M. et Mme Bruder, 41 boulevard Ornano, Paris.

Poursuivant ses investigations, le romancier découvre, quelques années plus tard, que le nom de cette jeune fille disparue est cité dans le *Mémorial de la déportation des Juifs de France* que Serge Klarsfeld publia en 1978. Il y apprend que Dora Bruder, née en 1926, et son père Ernest, né à Vienne en 1899, ont fait partie d'un convoi parti de Drancy en septembre 1942. Quelques mois plus tard, Cécile Bruder, la mère de Dora, sera à son tour déportée vers Auschwitz. Aucun des trois n'en reviendra.

Aussi surprenant que cela puisse paraître, le roman de Patrick Modiano est donc né de la lecture d'une annonce publiée dans un journal antérieur à sa naissance.

Du fait divers à l'histoire

Le fait divers, amorce de la littérature – À ce stade de la réflexion, le lecteur pourrait être tenté de penser que Patrick Modiano a puisé la matière de son récit dans un fait divers*. Il est vrai que la disparition de Dora Bruder s'apparente aux événements dramatiques que relatent quotidiennement les journaux. Depuis le XIXe siècle, bien des romanciers se sont d'ailleurs inspirés de faits divers : Stendhal se servit de l'affaire Berthet pour écrire *Le Rouge et le Noir* (1830), Flaubert de l'affaire Delamare pour écrire *Madame Bovary* (1857); plusieurs nouvelles de Maupassant trouvèrent leur origine dans la presse : *La Confession*, *L'Enfant* ou *Rosalie Prudent* furent ainsi inspirés par une affaire d'infanticide relatée dans *Gil Blas* en septembre 1883. Plus près de nous, des romanciers comme Fred Kassak, Didier Daeninckx, Thierry Jonquet ou Emmanuel Carrère se sont emparés de faits réels pour élaborer des fictions. Dans l'ouvrage intitulé *L'Adversaire*, paru aux éditions P.O.L. en 2000, ce dernier s'est intéressé à l'affaire Romand, qui fit la une des journaux en janvier 1993 : un homme s'était pour ses proches inventé une autre vie et, pour éviter que la supercherie ne soit connue d'eux, il assassina femme, parents et enfants.

La relation à l'histoire – Mais revenons à *Dora Bruder*. À première vue, l'annonce de sa disparition paraît relever du fait divers* au sens où l'entendait encore le *Dictionnaire universel* de Pierre Larousse au XIXe siècle :

« Sous cette rubrique, les journaux groupent avec art et publient régulièrement les nouvelles de toutes sortes qui courent le monde : petits scandales, accidents de voitures, crimes épouvantables, suicides d'amour, couvreur tombant d'un cinquième étage, vols à main armée, pluie de sauterelles ou de crapauds, naufrages, incendies, inondations, aventures cocasses, enlèvements mystérieux, exécutions à mort… **»**

Une réflexion plus approfondie nous invite toutefois à émettre quelques réserves. Dans une étude, qui fait référence en la matière, l'essayiste Roland Barthes démontre que le fait divers* est une « information totale », autonome ; qu'il se situe en marge de l'histoire et ne « renvoie formellement à rien d'autre qu'à lui-même ». Selon lui, le fait divers présente une structure fermée, indépendante du contexte dans lequel il se produit. Ce n'est pas dire qu'un enlèvement, une agression, un vol soient totalement étrangers au monde dans lequel ils se produisent, mais qu'ils constituent une réalité « immanente », un tout, dont on peut aisément saisir la portée et le sens. « Au niveau de la lecture, signale Roland Barthes, tout est donné dans un fait divers ; ses circonstances, ses causes, son passé, son issue ; sans durée et sans contexte, il constitue un être immédiat, qui ne renvoie, du moins formellement, à rien d'implicite ; c'est en cela qu'il s'apparente à la nouvelle et au conte, et non plus au roman. C'est son immanence qui définit le fait divers. »

L'histoire personnelle de Dora Bruder ne se situe pas en marge de l'histoire. Le poids de ses origines, le sort fait aux Juifs pendant la Seconde Guerre mondiale et le mystère de sa disparition relient le destin individuel de cette jeune fille à l'une des plus effroyables tragédies de l'histoire universelle. À travers elle s'exprime la chronique des persécutions subies par les Juifs dans la France de Vichy, des tractations occultes qui ont conduit à la déportation des millions d'hommes, de femmes et d'enfants. Non, l'histoire de Dora Bruder n'est pas un simple fait divers* : son dossier n'est pas clos ; le drame de sa disparition ne constitue pas une réalité immanente ; il est impossible d'évoquer son existence sans prendre en compte la démence du monde dans lequel elle a vécu.

Le récit d'une enquête

Dora Bruder est moins un roman que le récit d'une enquête : celle qui pousse Patrick Modiano à reconstituer, tel un puzzle, l'histoire singulière d'une adolescente juive disparue en 1941.

L'écrivain-détective – Pour l'écrivain, tout commence en 1988 par la découverte inopinée d'un avis de recherche publié dans la rubrique « D'hier à aujourd'hui » de *Paris-Soir*, le 31 janvier 1941. Bouleversé par la lecture de ce court article, Patrick Modiano se met en quête de Dora Bruder, comme aurait pu le faire, un demi-siècle plus tôt, un détective chargé de retrouver sa trace dans la France occupée. Pour des raisons chronologiques, le romancier ne pouvait pas avoir rencontré Dora Bruder, dont l'existence se perd le 18 septembre 1942, jour de son départ pour Auschwitz ; mais il a le sentiment troublant de l'avoir croisée dans une autre vie, en d'autres temps.

Sa trace, Patrick Modiano la cherche d'abord dans les lieux qu'elle a fréquentés : le boulevard Ornano, où elle vivait encore avec ses parents au début de la Seconde Guerre mondiale, non loin de la porte de Clignancourt, dans le XVIIIe arrondissement ; les écoles communales du quartier, où elle pouvait avoir été scolarisée ; le 15 de la rue Santerre, « adresse de l'hôpital Rothschild » où naquirent « de nombreux enfants de familles juives pauvres qui venaient d'immigrer en France » ; la rue Bachelet, « où habitaient Cécile et Ernest Bruder au moment de leur mariage » ; la banlieue nord-est de Paris, au bord du canal de l'Ourcq, où Dora et ses parents vécurent au cours de l'hiver 1926. Poussant plus avant ses investigations, le romancier suit la piste d'Ernest Bruder jusqu'à Vienne, en Autriche, où il naquit le 21 mai 1899. Mais au-delà, les traces s'effacent, obligeant le détective à se perdre en conjectures (p. 36) :

> Ses parents à lui étaient sans doute originaires de Galicie, de Bohême ou de Moravie, comme la plupart des juifs de Vienne.

À la recherche de dates et de lieux – 25 février 1926 – 18 septembre 1942 : toute l'existence de Dora Bruder tient entre ces deux dates que l'enquête aura permis au narrateur de retrouver. Dans les premières pages du récit, ce dernier reconnaît qu'il aura mis « quatre ans avant de

Un terrain vague sous la neige, les pavés glissants, des silhouettes… et dans le fond de cette photographie prise par René Burri en 1955, les immeubles parisiens : le quartier de la porte de Clignancourt.

découvrir la date exacte de sa naissance » (p. 30). De documents officiels en témoignages, Patrick Modiano reconstitue peu à peu l'itinéraire de la jeune disparue. Il apprend que ses parents habitaient déjà l'hôtel du boulevard Ornano « dans les années 1937 et 1938 », que Dora fut inscrite le 9 mai 1940, à l'âge de quatorze ans, dans un internat religieux du XIIᵉ arrondissement, dont elle s'enfuira le 14 décembre 1941 (p. 49). L'enquête de Patrick Modiano consiste précisément à combler les lacunes que comporte cette chronologie, à remplir les blancs laissés par l'amnésie collective, à rassembler les pièces d'un puzzle que le temps s'ingénie à disperser. Pour le romancier, l'histoire de Dora commence cependant bien avant sa naissance. Avec une rigueur presque scientifique, le romancier-détective s'attache, par exemple, à reconstituer l'itinéraire personnel d'Ernest Bruder, de son enfance à Leopoldstadt, le quartier juif de Vienne, à son mariage avec Cécile Burdej le 12 avril 1924. Une petite fiche découverte au ministère des Anciens

Combattants indique que le père de Dora s'était engagé dans la Légion étrangère à l'âge de vingt ans. La suite n'est pas difficile à deviner : Ernest Bruder participa sans doute, comme bien des jeunes de sa génération, à la conquête du Maroc, sous l'autorité du général Lyautey. Les dates s'enchaînent avec une précision déconcertante, tant il est aisé de suivre les opérations militaires menées en Afrique du Nord (p. 38) :

> Avril 1920. Combat à Bekrit et au Ras-Tarcha. Juin 1921. Combat du bataillon de la légion du commandant Lambert sur le Djebel Hayane. Mars 1922. Combat du Chouf-ech-Cherg [...] Avril 1923. Combat d'Arbala.

La petite fiche que découvre le narrateur permet d'imaginer les conditions du retour en France : blessé au cours d'un combat, le légionnaire français Ernest Bruder, « mutilé de guerre 100 % », sera libéré de ses engagements militaires. À vingt-cinq ans, il se retrouve « sur le pavé de Paris ».

À la recherche de la mémoire perdue – L'enquête par laquelle le romancier se transforme en détective n'est pas sans rappeler la situation narrée dans d'autres romans de Patrick Modiano, en particulier dans *Rue des boutiques obscures*, paru en 1978. Détective privé frappé d'amnésie depuis des années, le narrateur enquête sur la disparition d'un homme solitaire, troué de silence et d'oubli... qui n'est autre que lui-même. Fiches de renseignements, faux papiers, passages clandestins, disparitions, meurtres, recherche d'indices et de témoins, tout confère à cette quête identitaire l'allure d'un roman policier. Le parcours du détective n'en reste pas moins jalonné de fausses pistes et de voies sans issue. Son enquête est fragmentée, constamment interrompue par les brisures du destin (quarante-sept chapitres composent ce court récit), ne lui permettant d'élaborer qu'une biographie* parcellaire. À regarder les choses de près, on se rend compte que Guy Roland, le narrateur de ce récit, est plus proche de l'écrivain que du détective parce qu'il mêle réalité et fiction. Paradoxalement, l'amnésie est une chance : elle permet à celui qui n'a plus d'identité propre de s'identifier aux fantômes qui surgissent du passé. « Est-ce qu'il s'agit de ma vie ou de la vie d'un autre dans laquelle je me suis glissé ? » se demande le narrateur de *Rue des boutiques obscures*. La même question pourrait être posée à propos de Dora Bruder.

Entre réalité et fiction

Réinventer sa vie

Si la période trouble de l'Occupation est au centre de son œuvre, Patrick Modiano n'a pourtant rien d'un historien. À la manière de Céline qu'il admire, l'auteur de *La Place de l'Étoile* rédige la quasi-totalité de son œuvre à la première personne et mêle constamment réalité et fiction, souvenirs d'événements vécus et reconstitution imaginaire du passé. Ses œuvres peuvent donc être considérées comme des autobiographies* fictives. Dans *Livret de famille*, par exemple, le romancier part à la recherche de ses origines et s'appuie sur l'état civil pour élaborer un « roman » aux allures autobiographiques. Le titre de l'ouvrage est à cet égard particulièrement significatif : Patrick Modiano construit sa narration comme un « livret de famille », document que reçoivent tous les couples français lors de leur mariage et qui accompagne le cheminement de leur vie. Aux quinze pages du livret traditionnel correspondent les quinze chapitres de l'ouvrage. À chacun d'eux, une tranche de vie, un *extrait* du grand registre de l'existence familiale. La naissance de sa fille, le mariage de ses parents, les débuts de sa mère dans un music-hall d'Anvers, la visite de l'appartement de son enfance, les démêlés de son père avec la Gestapo, une soirée de l'ex-roi Farouk, de simples scènes de la vie quotidienne ou l'évocation du chanteur Harry Dressel, dont le narrateur voudrait écrire la biographie*, telles sont les pages de ce « livret de famille » qui bouleverse la chronologie des événements, superpose les souvenirs et mêle les êtres réels (son père, sa mère, sa fille…) aux personnages les plus imaginaires. Comme dans la plupart de ses romans, Patrick Modiano raconte moins sa vie qu'il ne la réinvente, laissant aux ressources de l'imagination le soin de venir au secours de la réalité.

Les coïncidences troublantes

Dora Bruder n'échappe pas à cette règle. Dans ce récit rédigé à la première personne, le romancier évoque à maintes reprises sa propre existence, qu'il mêle à celle de ses personnages. Le quartier du boulevard Ornano, où vivait la famille Bruder, est celui qu'il arpentait avec sa mère, «le samedi ou le dimanche après-midi», pour se rendre au marché aux puces de Saint-Ouen. À l'âge de vingt ans, en 1965, le narrateur fréquentera de nouveau le quartier Clignancourt parce qu'une de ses amies habitait rue Championnet et qu'il lui arrivait de se rendre dans les cafés du quartier ou dans les cinémas du boulevard Ornano. L'impression que la vie du narrateur se confond avec celle de ses personnages est plus nette lorsque nous apprenons qu'il séjourna en Autriche, en 1965, dans la ville où naquit Ernest Bruder. Confidence autobiographique ou mensonge romanesque? Qu'importe, après tout. Ces coïncidences sont troublantes parce qu'elles donnent le sentiment que ces lieux fréquentés à des époques différentes absorbent le temps. Les années qui séparent Patrick Modiano de la famille Bruder semblent en effet abolies : les époques se superposent; les perspectives se brouillent; «les hivers se mêlent l'un à l'autre. Celui de 1965 et celui de 1942» (p. 26). Une impression similaire était déjà formulée dans *Livret de famille* :

❮❮ Je n'avais pas vingt ans, mais ma mémoire précédait ma naissance. J'étais sûr, par exemple, d'avoir vécu dans le Paris de l'Occupation puisque je me souvenais de certains personnages de cette époque et de détails infimes et troublants, de ceux qu'aucun livre d'histoire ne mentionne. **❯❯**

Pour une lecture

Nous vous proposons l'étude de l'incipit, depuis le début de *Dora Bruder* jusqu'à la fin de la page 25.

Introduction

Les trois premières pages fixent l'enjeu du livre, entre l'enquête conduite par le narrateur et l'évocation de son propre passé. Les figures

de Dora et du narrateur sont entrelacées à partir de la découverte inopinée d'un avis de recherche publié pendant l'Occupation dans un journal
parisien. Ce tressage conduit le narrateur à relire ses propres trajets
dans le XVIIIᵉ arrondissement, en les associant à ceux de Dora.

1 – La coïncidence entre les lieux et les temps

a) L'événement fondateur du livre :

L'incipit de *Dora Bruder* affirme d'emblée une coïncidence entre les
temps, au double sens chronologique et grammatical du terme. Le
moment de la narration est en effet doublement relié au passé, par la
découverte de l'avis de recherche, déjà vieille de huit ans, et l'ancien-
neté du journal où cet avis a été publié. Les indications données nous
font remonter vers un temps apparemment révolu, dont ne subsistent
que des traces infimes, le passage du passé composé initial à l'imparfait
traduisant cette plongée par étapes dans l'épaisseur temporelle.
Cependant, le titre de la rubrique affirme implicitement le lien de ce
passé avec l'existence présente. Le passage du pronom impersonnel
« il » au pronom personnel « je » exprime aussi cette résurgence. *Dora
Bruder* commence donc par la manifestation d'un événement fondateur qui se dédouble aussitôt en revenant au jour.

Cet événement est, d'abord, la découverte du numéro de *Paris-Soir*,
mais il consiste à l'origine dans la disparition de Dora. Le lien entre ces
deux niveaux préfigure tout le réseau d'associations qui se crée par la
suite entre Dora et le narrateur. L'ensemble prend forme dans le lan-
gage. L'expression « Il y a huit ans » fait en effet songer à la formule « Il
était une fois » des contes et annonce un récit. Son caractère temporel
entre aussi en résonance avec de nombreux incipit de la littérature du
XIXᵉ siècle ou du début du XXᵉ siècle, notamment le célèbre « Longtemps je me suis couché de bonne heure » par lequel s'ouvre *À la
recherche du temps perdu* de Marcel Proust.

b) Premier portrait de Dora Bruder :

L'avis de recherche offre un premier portrait de la jeune fille. Celui-ci se
présente sous la forme d'une fiche signalétique, semblable à celles que
dresse la police. Les informations morphologiques et vestimentaires

sont groupées en liste. Contrairement aux images photographiques qui seront décrites par la suite, ce premier portrait de Dora reste entièrement abstrait.

Pourtant, le passage des temps du passé au présent suggère que la figure de Dora n'est pas aussi lointaine et effacée qu'on pourrait le croire. Les expressions « On recherche » et « Adresser toutes indications » ont une signification nouvelle, indiquant la possibilité de reprendre les recherches, cinquante-cinq ans après les faits. C'est en ce sens que le narrateur interprète l'avis de recherche, par l'intermédiaire de sa propre mémoire.

2 – Une série de réminiscences personnelles

a) La mémoire et les lieux :

À l'impersonnalité du portrait publié dans *Paris-Soir* s'oppose en effet la mémoire individuelle du narrateur. Pour la première fois, il superpose ses propres souvenirs stratifiés à l'existence antérieure de Dora. Présent et passé se rejoignent alors. Le souvenir du boulevard Ornano ressemble au célèbre processus de réminiscence grâce auquel le narrateur d'*À la recherche du temps perdu* voit resurgir le monde oublié de ses vacances enfantines. Ici, tout comme dans l'œuvre de Marcel Proust, le narrateur évoque effectivement des promenades rituelles dont le caractère répétitif est exprimé par l'adverbe « toujours » et l'emploi de l'imparfait.

b) La persistance du passé :

Au sein de ces impressions, certains éléments témoignent d'une persistance obsessionnelle et secrète du passé. Les « Puces de Saint-Ouen » sont un lieu de mémoire concrète. De manière plus allusive, le vieux photographe, assez âgé pour avoir connu le quartier à l'époque de Dora, et peut-être celle-ci, incarne également la mémoire. L'attitude des passants introduit le thème de l'oubli volontaire et de l'indifférence à l'histoire. La langue de Patrick Modiano devient alors un instrument de lutte contre l'opacité de l'oubli, grâce à sa fluidité, sa précision, la richesse des strates temporelles qu'elle explore, et sa concentration autour du « je » du narrateur.

3 – L'espace-temps de l'histoire et du mystère

a) Les carrefours de l'histoire :

L'évocation du quartier Clignancourt se précise selon la chronologie personnelle du narrateur. Le même paysage urbain est saisi au moment de son adolescence, dans une série de courts paragraphes qui relatent quelques scènes datées, liées à l'histoire contemporaine et, de manière implicite, à l'Occupation. Un premier souvenir concerne la guerre d'Algérie, désignée, selon l'euphémisme alors en vigueur : « événements d'Algérie ». L'expression « Je me souviens » s'oppose à l'amnésie collective et n'est pas sans faire songer au petit livre de Georges Perec, précisément intitulé *Je me souviens*. La scène mentionnée est entièrement figée, tandis que l'accès vers le passé reste bloqué, la phrase nominale exprimant stylistiquement cette impression. Cette scène fait écho aux couvre-feux et aux rafles de l'hiver 1941-1942. On songe enfin à la révolte de mai 1968, également désignée par le nom d'« événements ».

Un second paragraphe nous conduit à l'hiver 1965. L'existence du narrateur croise encore celle de Dora par l'intermédiaire d'une amie anonyme, installée à proximité du 41, boulevard Ornano. Dans le paragraphe suivant, l'évocation du même paysage exprime une nouvelle fois la relation complexe de l'oubli et de l'histoire, à travers la figure du vieux photographe emporté par l'indifférence de la foule. Seul le narrateur s'interroge sur la signification historique de la caserne auprès de laquelle il se tenait.

b) Une atmosphère de mystère nocturne :

La conséquence de cette amnésie collective se manifeste dans le troisième paragraphe. La scène est datée de janvier et mentionne la tombée de la nuit à six heures, ainsi que le sentiment de solitude et d'inexistence du narrateur. La suite et la fin du passage approfondissent cette évocation hivernale en la plaçant sous le double signe de la nuit et du mystère. Le narrateur mentionne une série de commerces, principalement des cafés, lieux d'une attente indéfinie et incompréhensible qui semble annoncer son enquête future.

La présence d'une énigmatique voiture de sport, portant une plaque de « grand invalide de guerre », matérialise également cette atmosphère et fait secrètement allusion à Dora. Le souvenir imprécis de la Jaguar prend d'autant plus d'importance que le narrateur s'est souvent demandé « quel visage pouvait bien avoir son propriétaire », laissant supposer qu'il pourrait s'agir de quelque fantôme. L'image de la voiture de sport mystérieuse, conduite par un être spectral surgi du passé, apparaît ailleurs dans l'œuvre de Patrick Modiano, notamment dans *Quartier perdu*.

Le paragraphe final revient à Dora. Le narrateur suggère que le boulevard est peut-être hanté par la disparue, mentionnant son caractère désert et les lumières de la bouche de métro et de l'entrée du cinéma. Le « Je me souviens » initial se fait alors vision rétrospective, bien que le narrateur avoue n'avoir jamais remarqué autrefois l'immeuble du 41. Les deux dernières lignes du paragraphe établissent une jonction entre 1941 et les années 1960. La mention « De 1965 à 1968 » semble en effet s'intégrer à la dernière phrase de l'avis de recherche qui, détachée de son contexte, donne à penser qu'elle s'adresse directement au narrateur.

Conclusion

L'ouverture de *Dora Bruder* fait jouer une première fois tous les thèmes du livre. Elle met en place un tressage des temporalités et des existences. De la même façon, elle indique en filigrane la nature profonde du texte : il s'agit d'une œuvre de mémoire qui entre en lutte avec l'oubli afin de redonner forme aux vies brisées par l'histoire. Le narrateur est le gardien chargé de recueillir et d'explorer cette mémoire. Il établit aussi une relation de fraternité et de solidarité avec Dora et sa famille. L'écriture, tout à la fois allusive et précise, de Patrick Modiano se met donc au service d'êtres réels, dans une forme littéraire située entre le roman et l'enquête historique, la biographie* et la méditation poétique sur le destin des individus dans un monde livré aux puissances d'anéantissement et d'oubli.

à vous...

Repérages géographiques

1 – À l'aide d'un plan, repérez les quartiers de Paris et de sa banlieue dans lesquels vécut la famille Bruder.

2 – En évoquant les origines de Dora Bruder, Patrick Modiano fait discrètement référence à la diaspora, terme par lequel on évoque la dispersion à travers le monde des Juifs exilés de leur pays d'origine.
a – En tenant compte des indications fournies par le narrateur, dites quels sont les pays ou les régions d'où sont originaires les parents et les grands-parents de Dora Bruder.
b – Retracez l'itinéraire d'Ernest Bruder, de sa naissance en 1899 à sa disparition en 1944.

Repérages historiques

1 – Au cours du récit, le narrateur fait allusion à la «débâcle de juin 1940» (p. 51). Que désigne ce terme?

2 – a – En faisant appel à vos connaissances en histoire, expliquez ce que fut l'Occupation.
b – Montrez que le territoire français était divisé en plusieurs zones entre 1940 et 1944.

3 – Dans les premières pages du roman, le narrateur fait référence aux «événements d'Algérie» (p. 24).
a – De quels événements s'agit-il?
b – Quand se sont-ils produits?

Vocabulaire

1 – «Peut-être [...] étais-je sur la trace de Dora Bruder et de ses parents. Ils étaient là, déjà, en filigrane.» (p. 26)
a – Quelle est la signification étymologique du terme souligné?
b – En vous aidant d'un dictionnaire, dites quelles sont ses deux principales significations.

c – Quel sens Patrick Modiano lui donne-t-il dans ce texte?

2 – a – Recherchez, de la page 42 («On se dit qu'au moins...») à la page 43 («... 43, rue des Poissonniers, impasse d'Oran.»), un terme qui appartient au même champ lexical que le mot «filigrane».
b – Quelle définition le narrateur en donne-t-il?

3 – Lorsqu'il évoque l'enquête qu'il mène, le narrateur du roman recourt souvent à des modalisateurs, termes qui expriment un doute ou la subjectivité du locuteur.
a – Recherchez trois phrases, de la page 23 à la page 58, qui comportent des modalisateurs.
b – Selon vous, pourquoi le narrateur s'exprime-t-il ainsi?

4 – La plupart des romans de Patrick Modiano constituent des *autobiographies* fictives*. Dites comment vous comprenez cette expression.

Lecture cursive
1 – À de rares exceptions près, tous les romans de Patrick Modiano ont été rédigés à la première personne. Faites des recherches au CDI ou en bibliothèque pour savoir quels romans de la liste proposée p. 198 ont été rédigés à la troisième personne.

2 – Le narrateur ou le personnage principal des romans suivants n'est pas sans faire songer à Patrick Modiano.
a – Dites quelle est la profession d'Ambrose Guise, le narrateur de *Quartier perdu*.
b – Où et quand Jimmy Sarano, personnage de *Vestiaire de l'enfance*, est-il né? Quelle est la profession de sa mère?
c – En quoi Edmond Claude, personnage du recueil de nouvelles intitulé *De si braves garçons*, vous fait-il penser à Patrick Modiano?

L'automne est venu. À Paris, les journaux du 2 octobre ont publié l'ordonnance selon laquelle les juifs devaient se faire recenser dans les commissariats. La déclaration du chef de famille était valable pour toute la famille. Afin d'éviter une trop longue attente, les intéressés étaient priés de se rendre, selon la première lettre de leur nom, aux dates indiquées au tableau ci-dessous…

La lettre B tombait le 4 octobre. Ce jour-là, Ernest Bruder est allé remplir le formulaire au commissariat du quartier Clignancourt. Mais il n'a pas déclaré sa fille. On donnait à chacun de ceux qui se faisaient recenser un numéro matricule qui, plus tard, figurerait sur son «fichier familial». Cela s'appelait le numéro de «dossier juif».

Ernest et Cécile Bruder avaient le numéro de dossier juif 49091. Mais Dora n'en avait aucun.

Peut-être Ernest Bruder a-t-il jugé qu'elle était hors d'atteinte, dans une zone franche, au pensionnat du Saint-Cœur-de-Marie et qu'il ne fallait pas attirer l'attention sur elle. Et que pour Dora, à quatorze ans, cette catégorie «juif» ne voulait rien dire. Au fond, qu'est-ce qu'ils entendaient exactement par le mot «juif»? Pour lui, il ne s'est même pas posé la question. Il avait l'habitude que l'administration le classe dans différentes catégories, et il l'acceptait, sans discuter. Manœuvre. Ex-Autrichien. Légionnaire français. Non-suspect. Mutilé 100%. Prestataire étranger. Juif. Et sa femme Cécile aussi. Ex-Autrichienne. Non-suspecte. Ouvrière fourreuse. Juive. Seule Dora échappait encore à tous les classements et au numéro de dossier 49091.

Qui sait, elle aurait pu y échapper jusqu'à la fin. Il suffisait de rester entre les murs noirs du pensionnat et de se confondre avec eux; et de respecter scrupuleusement le rythme des journées et des nuits sans se faire remarquer. Dortoir. Chapelle. Réfectoire. Cour. Salle de classe. Chapelle. Dortoir.

Le hasard avait voulu – mais était-ce vraiment le hasard – que dans ce pensionnat du Saint-Cœur-de-Marie, elle fût revenue à quelques dizaines de mètres de l'endroit où elle était née, en face, de l'autre côté de la rue. 15 rue Santerre. Maternité de l'hôpital Rothschild. La rue Santerre était dans le prolongement de celle de la Gare-de-Reuilly et du mur du pensionnat.

Un quartier calme, ombragé d'arbres. Il n'avait pas changé quand je m'y suis promené toute une journée, il y a vingt-cinq ans, au mois de juin 1971. De temps en temps, les averses d'été m'obligeaient à m'abriter sous un porche. Cet après-midi-là, sans savoir pourquoi, j'avais l'impression de marcher sur les traces de quelqu'un.

À partir de l'été 42, la zone qui entourait le Saint-Cœur-de-Marie est devenue particulièrement dangereuse. Les rafles se sont succédé pendant deux ans, à l'hôpital Rothschild, à l'orphelinat du même nom, rue Lamblardie, à l'hospice du 76 rue de Picpus, là où était employé et domicilié ce Gaspard Meyer qui avait signé l'acte de naissance de Dora. L'hôpital Rothschild était une souricière où l'on envoyait les malades du camp de Drancy pour les ramener au camp quelque temps plus tard, selon le bon vouloir des Allemands qui surveillaient le 15 rue Santerre, aidés par les membres d'une agence de police privée, l'agence Faralicq. Des enfants, des adolescents de l'âge de Dora ont été arrêtés, en grand nombre, à l'orphelinat Rothschild où ils se cachaient, rue Lamblardie, la première rue à droite après la rue de la Gare-de-Reuilly. Et dans cette rue de la Gare-de-Reuilly, juste en face du mur du collège, au 48 bis, ont été arrêtés neuf garçons et filles de l'âge de Dora, certains plus jeunes, et leur famille. Oui, la seule enclave qui demeurât préservée, c'était le jardin et la cour du pensionnat du Saint-Cœur-de-Marie. Mais à condition de n'en pas sortir, de demeurer oublié, à l'ombre de ces murs noirs, eux-mêmes noyés dans le couvre-feu.

J'ai écrit ces pages en novembre 1996. Les journées sont souvent pluvieuses. Demain nous entrerons dans le mois de décembre et cinquante-cinq ans auront passé depuis la fugue de Dora. La nuit tombe tôt et cela vaut mieux : elle efface la grisaille et la monotonie de ces jours de pluie où l'on se demande s'il fait vraiment jour et si l'on ne traverse pas un état intermédiaire, une sorte d'éclipse morne, qui se prolonge jusqu'à la fin de l'après-midi. Alors, les lampadaires, les vitrines, les cafés s'allument, l'air du soir est plus vif, le contour des choses plus net, il y a des embouteillages aux carrefours, les gens se pressent dans les rues. Et au milieu de toutes ces lumières et de cette agitation, j'ai peine à croire que je suis dans la même ville que celle où se trouvaient Dora Bruder et ses parents, et aussi mon père quand il avait vingt ans de moins que moi. J'ai l'impression d'être tout seul à faire le lien entre le Paris de ce temps-là et celui d'aujourd'hui, le seul à me souvenir de tous ces détails. Par moments, le lien s'amenuise et risque de se rompre, d'autres soirs la ville d'hier m'apparaît en reflets furtifs derrière celle d'aujourd'hui.

J'ai relu les livres cinquième et sixième des *Misérables*. Victor Hugo y décrit la traversée nocturne de Paris que font Cosette et Jean Valjean, traqués par Javert, depuis le quartier de la barrière Saint-Jacques jusqu'au Petit Picpus. On peut suivre sur un plan une partie de leur itinéraire. Ils approchent de la Seine. Cosette commence à se fatiguer. Jean Valjean la porte dans ses bras. Ils longent le Jardin des Plantes par les rues basses, ils arrivent sur le quai. Ils traversent le pont d'Austerlitz. À peine Jean Valjean a-t-il mis le pied sur la rive droite qu'il croit que des ombres s'engagent sur le pont. La seule manière de leur échapper – pense-t-il – c'est de suivre la petite rue du Chemin-Vert-Saint-Antoine.

Et soudain, on éprouve une sensation de vertige, comme si Cosette et Jean Valjean, pour échapper à Javert et à ses policiers, basculaient dans le vide : jusque-là, ils traversaient les vraies rues du Paris réel, et brusquement ils sont projetés dans le quartier d'un Paris imaginaire que Victor Hugo nomme le Petit Picpus. Cette sensation d'étrangeté est la même que celle qui vous prend lorsque vous marchez en rêve dans un quartier inconnu. Au réveil, vous réalisez peu à peu que les rues de ce quartier étaient décalquées sur celles qui vous sont familières le jour.

Et voici ce qui me trouble : au terme de leur fuite, à travers ce quartier dont Hugo a inventé la topographie et les noms de rues, Cosette et Jean Valjean échappent de justesse à une patrouille de police en se laissant glisser derrière un mur. Ils se retrouvent dans un «jardin fort vaste et d'un aspect singulier : un de ces jardins tristes qui semblent faits pour être regardés l'hiver et la nuit». C'est le jardin d'un couvent où ils se cacheront tous les deux et que Victor Hugo situe exactement au 62 de la rue du Petit-Picpus, la même adresse que le pensionnat du Saint-Cœur-de-Marie où était Dora Bruder.

« À l'époque où se passe cette histoire – écrit Hugo – un pensionnat était joint au couvent [...]. Ces jeunes filles [...] étaient vêtues de bleu avec un bonnet blanc [...]. Il y avait dans cette enceinte du Petit Picpus trois bâtiments parfaitement distincts, le grand couvent qui abritait les religieuses, le pensionnat où logeaient les élèves, et enfin ce qu'on appelait "le petit couvent".»

Et, après avoir fait une description minutieuse des lieux, il écrit encore : «Nous n'avons pu passer devant cette maison extraordinaire, inconnue, obscure, sans y entrer et sans y faire entrer les esprits qui nous accompagnent et qui nous écoutent raconter, pour l'utilité de quelques-uns peut-être, l'histoire mélancolique de Jean Valjean.»

Comme beaucoup d'autres avant moi, je crois aux coïncidences et quelquefois à un don de voyance chez les romanciers – le mot «don» n'étant pas le terme exact, parce qu'il suggère une sorte de supériorité. Non, cela fait simplement partie du métier : les efforts d'imagination, nécessaires à ce métier, le besoin de fixer son esprit sur des points de détail – et cela de manière obsessionnelle – pour ne pas perdre le fil et se laisser à aller à sa paresse –, toute cette tension, cette gymnastique cérébrale peut sans doute provoquer à la longue de brèves intuitions «concernant des événements passés ou futurs», comme l'écrit le dictionnaire Larousse à la rubrique «Voyance».

En décembre 1988, après avoir lu l'avis de recherche de Dora Bruder, dans le *Paris-Soir* de décembre 1941, je n'ai cessé d'y penser durant des mois et des mois. L'extrême précision de quelques détails me hantait : 41 boulevard Ornano, 1 m 55, visage ovale, yeux gris-marron, manteau sport gris, pull-over bordeaux, jupe et chapeau bleu marine, chaussures sport marron. Et la nuit, l'inconnu, l'oubli, le néant tout autour. Il me semblait que je ne parviendrais jamais à retrouver la moindre trace de Dora Bruder. Alors le manque que j'éprouvais m'a poussé à l'écriture d'un roman, *Voyage de noces*, un moyen comme un autre pour continuer à concentrer mon attention sur Dora Bruder, et peut-être, me disais-je, pour élucider ou deviner quelque chose d'elle, un lieu où elle était passée, un détail de sa vie. J'ignorais tout de ses parents et des circonstances de sa fugue. La seule chose que je savais, c'était ceci : j'avais lu son nom, BRUDER DORA – sans autre mention, ni date ni lieu de naissance – au-dessus de celui de son père BRUDER ERNEST, *21.5.99. Vienne. Apatride*, dans la liste de ceux qui faisaient partie du convoi du 18 septembre 1942 pour Auschwitz.

Je pensais, en écrivant ce roman, à certaines femmes que j'avais connues dans les années soixante : Anne B., Bella D. – du même âge que Dora, l'une d'elles née à un mois d'intervalle –, et qui avaient été, pendant l'Occupation, dans la même situation qu'elle, et auraient pu partager le même sort, et qui lui ressemblaient, sans doute. Je me rends compte aujourd'hui qu'il m'a fallu écrire deux cents pages pour capter, inconsciemment, un vague reflet de la réalité.

Cela tient en quelques mots : «La rame s'arrêta à Nation. Rigaud et Ingrid avaient laissé passer la station Bastille où ils auraient dû prendre la correspondance pour la Porte Dorée. À la sortie du métro, ils débouchèrent sur un grand champ de neige [...]. Le traîneau coupe par de petites rues pour rejoindre le boulevard Soult.»

Ces petites rues sont voisines de la rue de Picpus et du pensionnat du Saint-Cœur-de-Marie, d'où Dora Bruder devait faire une fugue, un soir de décembre au cours duquel la neige était peut-être tombée sur Paris.

Voilà le seul moment du livre où, sans le savoir, je me suis rapproché d'elle, dans l'espace et le temps.

Il est donc écrit sur le registre de l'internat, au nom de Dora Bruder et à la rubrique «date et motif de sortie» : «14 décembre 1941. Suite de fugue.»

C'était un dimanche. Je suppose qu'elle avait profité de ce jour de sortie pour aller voir ses parents boulevard Ornano. Le soir, elle n'était pas revenue au pensionnat.

Ce dernier mois de l'année fut la période la plus noire, la plus étouffante que Paris ait connue depuis le début de l'Occupation. Les Allemands décrétèrent, du 8 au 14 décembre, le couvre-feu à partir de six heures du soir en représailles à deux attentats. Puis il y eut la rafle de sept cents juifs français le 12 décembre; le 15 décembre, l'amende de un milliard de francs imposée aux juifs. Et le matin du même jour, les soixante-dix otages fusillés au mont Valérien. Le 10 décembre, une ordonnance du préfet de police invitait les juifs français et étrangers de la Seine à se soumettre à un «contrôle périodique» en présentant leur carte d'identité avec le cachet «juif» ou «juive». Leur changement de domicile devait être déclaré au commissariat dans les vingt-quatre heures; et il leur était désormais interdit de se déplacer hors du département de la Seine.

Dès le 1er décembre, les Allemands avaient prescrit un couvre-feu dans le XVIIIe arrondissement. Plus personne n'y pouvait pénétrer après six heures du soir. Les stations de métro du quartier étaient fermées et, parmi elles, la station Simplon, là où habitaient Ernest et Cécile Bruder. Un attentat à la bombe avait eu lieu rue Championnet, tout près de leur hôtel.

Le couvre-feu dans le XVIIIe arrondissement dura trois jours. Celui-ci à peine levé, les Allemands en ordonnèrent un autre dans tout le Xe arrondissement, après que des inconnus eurent tiré des coups de revolver sur un officier des autorités d'occupation, boulevard Magenta. Puis ce fut le couvre-feu général, du 8 jusqu'au 14 décembre – le dimanche de la fugue de Dora.

Autour du pensionnat du Saint-Cœur-de-Marie, la ville devenait une prison obscure dont les quartiers s'éteignaient les uns après les autres. Pendant que Dora se trouvait derrière les hauts murs du 60 et 62 rue de Picpus, ses parents étaient confinés dans leur chambre d'hôtel.

Son père ne l'avait pas déclarée comme «juive» en octobre 1940 et elle ne portait pas de «numéro de dossier». Mais l'ordonnance relative au contrôle des juifs affichée par la Préfecture de police le 10 décembre précisait que «les changements survenus dans la situation familiale devront être signalés». Je doute que son père ait eu le temps et le désir de la faire inscrire sur un fichier, avant sa fugue. Il devait penser que la Préfecture de police ne soupçonnerait jamais son existence au Saint-Cœur-de- Marie.

Qu'est-ce qui nous décide à faire une fugue ? Je me souviens de la mienne le 18 janvier 1960, à une époque qui n'avait pas la noirceur de décembre 1941. Sur la route où je m'enfuyais, le long des hangars de l'aérodrome de Villa-coublay, le seul point commun avec la fugue de Dora, c'était la saison : l'hiver. Hiver paisible, hiver de routine, sans commune mesure avec celui d'il y avait dix-huit ans. Mais il semble que ce qui vous pousse brusquement à la fugue, ce soit un jour de froid et de grisaille qui vous rend encore plus vive la solitude et vous fait sentir encore plus fort qu'un étau se resserre.

Le dimanche 14 décembre était le premier jour où le couvre-feu imposé depuis près d'une semaine n'avait plus cours. On pouvait désormais circuler dans les rues après six heures du soir. Mais, à cause de l'heure allemande, la nuit tombait dans l'après-midi.

À quel moment de la journée les Sœurs de la Miséricorde se sont-elles aperçues de la disparition de Dora? Le soir, certainement. Peut-être après le Salut à la chapelle, quand les pensionnaires sont montées au dortoir. Je suppose que la supérieure a essayé très vite de joindre les parents de Dora pour leur demander si elle était restée avec eux. Savait-elle que Dora et ses parents étaient juifs? Il est écrit dans sa notice biographique : «De nombreux enfants de familles juives persécutées trouvèrent refuge au Saint-Cœur-de-Marie, grâce à l'action charitable et audacieuse de sœur Marie-Jean-Baptiste. Aidée en cela par l'attitude discrète et non moins courageuse de ses sœurs, elle ne reculait devant aucun risque.»

Mais le cas de Dora était particulier. Elle était entrée au Saint-Cœur-de-Marie en mai 1940, lorsqu'il n'y avait pas encore de persécutions et que, pour elle, le mot «juif» ne devait pas signifier grand-chose. Elle n'avait pas été recensée en octobre 1940. Et ce n'est qu'à partir de juillet 1942, à la suite de la grande rafle, que les institutions religieuses cachèrent des enfants juifs. Elle avait passé un an et demi au Saint-Cœur-de-Marie. Sans doute était-elle la seule élève d'origine juive du pensionnat et l'ignorait-on parmi ses camarades et parmi les sœurs.

Au bas de l'hôtel du 41 boulevard Ornano, le café Marchal avait un téléphone : Montmartre 44-74, mais j'ignore si ce café communiquait avec l'immeuble et si Marchal était aussi le patron de l'hôtel. Le pensionnat du Saint-Cœur-de-Marie ne figurait pas dans l'annuaire de l'époque. J'ai retrouvé une autre adresse des Sœurs des Écoles chrétiennes de la Miséricorde qui devait être en 1942 une annexe du pensionnat : 64 rue Saint-Maur. Dora l'a-t-elle fréquentée ? Là non plus, il n'y avait pas de numéro de téléphone.

Qui sait ? La supérieure a peut-être attendu jusqu'au lundi matin avant d'appeler chez Marchal, ou plutôt d'envoyer une sœur au 41 boulevard Ornano. À moins que Cécile et Ernest Bruder ne se soient rendus eux-mêmes au pensionnat.

Il faudrait savoir s'il faisait beau ce 14 décembre, jour de la fugue de Dora. Peut-être l'un de ces dimanches doux et ensoleillés d'hiver où vous éprouvez un sentiment de vacance et d'éternité – le sentiment illusoire que le cours du temps est suspendu, et qu'il suffit de se laisser glisser par cette brèche pour échapper à l'étau qui va se refermer sur vous.

Longtemps, je n'ai rien su de Dora Bruder après sa fugue du 14 décembre et l'avis de recherche qui avait été publié dans *Paris-Soir*. Puis j'ai appris qu'elle avait été internée au camp de Drancy, huit mois plus tard, le 13 août 1942. Sur la fiche, il était indiqué qu'elle venait du camp des Tourelles. Ce 13 août 1942, en effet, trois cents juives avaient été transférées du camp des Tourelles à celui de Drancy.

La prison, le «camp», ou plutôt le centre d'internement des Tourelles occupait les locaux d'une ancienne caserne d'infanterie coloniale, la caserne des Tourelles, au 141 boulevard Mortier, à la porte des Lilas. Il avait été ouvert en octobre 1940, pour y interner des juifs étrangers en situation «irrégulière». Mais à partir de 1941, quand les hommes seront envoyés directement à Drancy ou dans les camps du Loiret, seules les femmes juives qui auront contrevenu aux ordonnances allemandes seront internées aux Tourelles ainsi que des communistes et des droit commun.

À quel moment, et pour quelles raisons exactes, Dora Bruder avait-elle été envoyée aux Tourelles? Je me demandais s'il existait un document, une trace qui m'aurait fourni une réponse. J'en étais réduit aux suppositions. On l'avait sans doute arrêtée dans la rue. En février 1942 – deux mois avaient passé depuis sa fugue – les Allemands avaient promulgué une ordonnance interdisant aux juifs de Paris de quitter leur domicile après vingt heures et de changer d'adresse. La surveillance dans les rues était donc devenue plus sévère que les mois précédents. J'avais fini par me persuader que c'était en ce glacial et lugubre mois de février où la Police des questions juives tendait des traquenards dans les couloirs du métro, à l'entrée des cinémas ou à la sortie des théâtres, que Dora s'était fait prendre. Il me paraissait même étonnant qu'une fille de seize ans, dont la police savait qu'elle avait disparu en décembre et connaissait le signalement, ait pu échapper aux recherches pendant tout ce temps. À moins d'avoir trouvé une planque. Mais laquelle, dans ce Paris de l'hiver 1941-1942, qui fut le plus ténébreux et le plus dur hiver de l'Occupation, avec, dès le mois de novembre, des chutes de neige, une température de moins quinze en janvier, l'eau gelée partout, le verglas, la neige de nouveau en grande abondance au mois de février? Quel était donc son refuge? Et comment faisait-elle pour survivre dans ce Paris-là?

C'était en février, pensais-je, qu'«ils» avaient dû la prendre dans leurs filets. «Ils» : cela pouvait être aussi bien de simples gardiens de la paix que les inspecteurs de la Brigade des mineurs ou de la Police des questions juives faisant un contrôle d'identité dans un lieu public... J'avais lu dans un livre de Mémoires que des filles de dix-huit ou dix-neuf ans avaient été envoyées aux Tourelles pour de légères infractions aux «ordonnances allemandes», et même, quelques-unes avaient seize ans, l'âge de Dora... Ce mois de février, le soir de l'entrée en vigueur de l'ordonnance allemande, mon père avait été pris dans une rafle, aux

Champs-Élysées. Des inspecteurs de la Police des questions juives avaient bloqué les accès d'un restaurant de la rue de Marignan où il dînait avec une amie. Ils avaient demandé leurs papiers à tous les clients. Mon père n'en avait pas sur lui. Ils l'avaient embarqué. Dans le panier à salade qui l'emmenait des Champs-Élysées à la rue Greffulhe, siège de la Police des questions juives, il avait remarqué, parmi d'autres ombres, une jeune fille d'environ dix-huit ans. Il l'avait perdue de vue quand on les avait fait monter à l'étage de l'immeuble qu'occupaient cette officine de police et le bureau de son chef, un certain commissaire Schweblin. Puis il avait réussi à s'enfuir, profitant d'une minuterie éteinte, au moment où il redescendait l'escalier et où il allait être mené au Dépôt.

Mon père avait fait à peine mention de cette jeune fille lorsqu'il m'avait raconté sa mésaventure pour la première et la dernière fois de sa vie, un soir de juin 1963 où nous étions dans un restaurant des Champs-Élysées, presque en face de celui où il avait été appréhendé vingt ans auparavant. Il ne m'avait donné aucun détail sur son physique, sur ses vêtements. Je l'avais presque oubliée, jusqu'au jour où j'ai appris l'existence de Dora Bruder. Alors, la présence de cette jeune fille dans le panier à salade avec mon père et d'autres inconnus, cette nuit de février, m'est remontée à la mémoire et bientôt je me suis demandé si elle n'était pas Dora Bruder, que l'on venait d'arrêter elle aussi, avant de l'envoyer aux Tourelles.

Peut-être ai-je voulu qu'ils se croisent, mon père et elle, en cet hiver 1942. Si différents qu'ils aient été, l'un et l'autre, on les avait classés, cet hiver-là, dans la même catégorie de réprouvés. Mon père non plus ne s'était pas fait recenser en octobre 1940 et, comme Dora Bruder, il ne portait pas de numéro de «dossier juif». Ainsi n'avait-il plus aucune existence légale et avait-il coupé toutes les amarres avec un monde où il fallait que chacun justifie d'un métier, d'une famille, d'une nationalité, d'une date de naissance, d'un domicile. Désormais il était ailleurs. Un peu comme Dora après sa fugue.

Mais je réfléchis à la différence de leurs destins. Il n'y avait pas beaucoup de recours pour une fille de seize ans, livrée à elle-même, dans Paris, l'hiver 42, après s'être échappée d'un pensionnat. Aux yeux de la police et des autorités de ce temps-là, elle était dans une situation doublement irrégulière : à la fois juive et mineure en cavale.

Pour mon père qui avait quatorze ans de plus que Dora Bruder, la voie était toute tracée : puisqu'on avait fait de lui un hors-la-loi, il allait suivre cette pente-là par la force des choses, vivre d'expédients à Paris, et se perdre dans les marécages du marché noir.

Cette jeune fille du panier à salade, j'ai appris, il n'y a pas longtemps, qu'elle ne pouvait pas être Dora Bruder. J'ai essayé de retrouver son nom en consultant une liste de femmes qui avaient été internées au camp des Tourelles. Deux d'entre elles, âgées de vingt et de vingt et un ans, deux juives polonaises, étaient entrées aux Tourelles le 18 et le 19 février 1942. Elles s'appelaient Syma Berger et Fredel Traister. Les dates correspondent, mais était-ce bien l'une ou l'autre ? Après un passage au Dépôt, les hommes étaient envoyés au camp de Drancy, les femmes aux Tourelles. Il se peut que cette inconnue ait échappé, comme mon père, au sort commun qui leur était réservé. Je crois qu'elle demeurera toujours anonyme, elle et les autres ombres arrêtées cette nuit-là. Les policiers des Questions juives ont détruit leurs fichiers, tous les procès-verbaux d'interpellation pendant les rafles ou lors des arrestations individuelles dans les rues. Si je n'étais pas là pour l'écrire, il n'y aurait plus aucune trace de la présence de cette inconnue et de celle de mon père dans un panier à salade en février 1942, sur les Champs-Élysées. Rien que des personnes – mortes ou vivantes – que l'on range dans la catégorie des «individus non identifiés».

Vingt ans plus tard, ma mère jouait une pièce au théâtre Michel. Souvent, je l'attendais dans le café du coin de la rue des Mathurins et de la rue Greffulhe. Je ne savais pas encore que mon père avait risqué sa vie par ici et que je revenais dans une zone qui avait été un trou noir. Nous allions dîner dans un restaurant, rue Greffulhe – peut-être au bas de l'immeuble de la Police des questions juives où l'on avait traîné mon père dans le bureau du commissaire Schweblin. Jacques Schweblin. Né en 1901 à Mulhouse. Dans les camps de Drancy et de Pithiviers, ses hommes se livraient à une fouille avant chaque départ des internés pour Auschwitz :

«M. Schweblin, chef de la Police des questions juives, se présentait au camp accompagné de 5 ou 6 aides qu'il dénommait "policiers auxiliaires", ne révélant que son identité personnelle. Ces policiers en civil portaient un ceinturon soutenant d'un côté un revolver et de l'autre une matraque.

Après avoir installé ses aides, M. Schweblin quittait le camp pour ne reparaître que le soir afin d'enlever le produit de la rafle. Chacun des aides s'installait dans une baraque avec une table et un récipient de chaque côté de la table, recevant l'un le numéraire, l'autre les bijoux. Les internés défilaient alors devant le groupe qui procédait à la fouille minutieuse et injurieuse. Très souvent battus, ils devaient quitter leur pantalon et recevaient de grands coups de pied avec des réflexions : "Hein! veux-tu en recevoir encore de la viande de policier?" Les poches intérieures et extérieures étaient souvent déchirées brutalement sous prétexte d'activer la fouille. Je ne parlerai pas de la fouille des femmes effectuée en des endroits intimes.

À la fin de la fouille, numéraire et bijoux étaient entassés en vrac dans des valises entourées d'une ficelle et plombées, puis remises dans la voiture de M. Schweblin.

Ce procédé de plombage n'avait rien de sérieux, attendu que la pince à plomber restait entre les mains des policiers. Ils pouvaient s'approprier billets de banque ou bijoux. D'ailleurs ces policiers ne se privaient pas de sortir de leurs poches des bagues de valeur en disant : "Tiens, cela n'est pas du toc!" ou une poignée de billets de 1 000 ou 500 francs en disant : "Tiens, j'ai oublié cela." Une perquisition avait lieu également dans les baraques pour visiter la literie; matelas, édredons, traversins étaient éventrés. De toutes les investigations exercées par la Police des questions juives, aucune trace ne subsiste[1]. »

L'équipe de la fouille était composée de sept hommes – toujours les mêmes. Et d'une femme. On ne connaît pas leurs noms. Ils étaient jeunes à l'époque et quelques-uns d'entre eux vivent encore aujourd'hui. Mais on ne pourrait pas reconnaître leurs visages.

1. D'après un rapport administratif rédigé en novembre 1943 par un responsable du service de la Perception de Pithiviers.

Schweblin a disparu en 1943. Les Allemands se seraient débarrassés de lui. Pourtant, mon père, lorsqu'il m'avait raconté son passage dans le bureau de cet homme, m'avait dit qu'il avait cru le reconnaître porte Maillot, un dimanche après la guerre.

Les paniers à salade n'ont pas beaucoup changé jusqu'au début des années soixante. La seule fois de ma vie où je me suis trouvé dans l'un d'eux, c'était en compagnie de mon père, et je n'en parlerais pas maintenant si cette péripétie n'avait pris pour moi un caractère symbolique.

Ce fut dans des circonstances d'une grande banalité. J'avais dix-huit ans, j'étais encore mineur. Mes parents étaient séparés, mais habitaient le même immeuble, mon père avec une femme aux cheveux jaune paille, très nerveuse, une sorte de fausse Mylène Demongeot. Et moi avec ma mère. Une querelle de palier s'est déclenchée ce jour-là entre mes parents, concernant la très modeste pension que mon père avait été contraint de verser pour mon entretien par une décision de justice, au terme d'une procédure à épisodes : tribunal de grande instance de la Seine. 1re chambre supplémentaire de la Cour d'appel. Signification d'arrêt à partie. Ma mère a voulu que je sonne à sa porte et que je lui réclame cet argent qu'il n'avait pas versé. Nous n'en avions malheureusement pas d'autre pour vivre. Je me suis exécuté de mauvaise grâce. J'ai sonné chez lui avec l'intention de lui parler gentiment et même de m'excuser pour cette démarche. Il m'a claqué la porte au nez; j'entendais la fausse Mylène Demongeot hurler et appeler police secours, en disant qu'un «voyou faisait du scandale».

Ils sont venus me chercher quelques dizaines de minutes plus tard chez ma mère et je suis monté avec mon père dans le panier à salade qui attendait devant l'immeuble. Nous étions assis l'un en face de l'autre sur les banquettes de bois, entourés chacun par deux gardiens de la paix. J'ai pensé que si c'était la première fois de ma vie que je faisais une telle expérience, mon père, lui, l'avait déjà connue, il y avait vingt ans, cette nuit de février 1942 où il avait été embarqué par les inspecteurs de la Police des questions juives dans un panier à salade à peu près semblable à celui où nous nous trouvions. Et je me demandais s'il y pensait, lui aussi, à ce moment-là. Mais il faisait semblant de ne pas me voir et il évitait mon regard.

Je me souviens exactement du trajet. Les quais. Puis la rue des Saints-Pères. Le boulevard Saint-Germain. L'arrêt au feu rouge, à la hauteur de la terrasse des Deux-Magots. Derrière la vitre grillagée, je voyais les consommateurs assis à la terrasse, au soleil, et je les enviais. Mais je ne risquais pas grand-chose : nous étions heureusement dans une époque anodine, inoffensive, une époque que l'on a appelée par la suite «les Trente Glorieuses».

Pourtant, j'étais étonné que mon père, qui avait vécu pendant l'Occupation ce qu'il avait vécu, n'eût pas manifesté la moindre réticence à me laisser emmener dans un panier à salade. Il était là, assis devant moi, impassible, l'air vaguement dégoûté, il m'ignorait comme si j'étais un pestiféré et j'appréhendais l'arrivée au commissariat de police, ne m'attendant à aucune compassion de sa part. Et cela me semblait d'autant plus injuste que j'avais commencé un livre – mon premier livre – où je prenais à mon compte le malaise qu'il avait éprouvé pendant l'Occupation. J'avais découvert dans sa bibliothèque, quelques années auparavant, certains ouvrages d'auteurs antisémites parus dans les années quarante qu'il avait achetés à l'époque, sans doute pour essayer de comprendre ce que ces gens-là lui reprochaient. Et j'imagine combien il avait été surpris par la description de ce monstre imaginaire, fantasmatique, dont l'ombre menaçante courait sur les murs, avec son nez crochu et ses mains de rapace, cette créature pourrie par tous les vices, responsable de tous les maux et coupable de tous les crimes. Moi, je voulais dans mon premier livre répondre à tous ces gens dont les insultes m'avaient blessé à cause de mon père. Et, sur le terrain de la prose française, leur river une fois pour toutes leur clou. Je sens bien aujourd'hui la naïveté enfantine de mon projet : la plupart de ces auteurs avaient disparu, fusillés, exilés, gâteux ou morts de vieillesse. Oui, malheureusement, je venais trop tard.

Le panier à salade s'est arrêté rue de l'Abbaye, devant le commissariat du quartier Saint-Germain-des-Prés. Les gardiens de la paix nous ont dirigés vers le bureau du commissaire. Mon père lui a expliqué, d'une voix sèche, que j'étais « un voyou », qui venait faire « du scandale chez lui » depuis l'âge de dix-sept ans. Le commissaire m'a déclaré que « la prochaine fois, il me garderait ici » – sur le ton avec lequel on parle à un délinquant. J'ai bien senti que mon père n'aurait pas levé le petit doigt si ce commissaire avait exécuté sa menace et m'avait envoyé au Dépôt.

Nous sommes sortis du commissariat, mon père et moi. Je lui ai demandé s'il était vraiment nécessaire d'avoir appelé police secours et de m'avoir « chargé » devant les policiers. Il ne m'a pas répondu. Je ne lui en voulais pas.

Comme nous habitions dans le même immeuble, nous avons suivi notre chemin, côte à côte, en silence. J'ai failli évoquer la nuit de février 1942 où on l'avait aussi embarqué dans un panier à salade et lui demander s'il y avait pensé tout à l'heure. Mais peut-être cela avait-il moins d'importance pour lui que pour moi.

Nous n'avons pas échangé un seul mot pendant tout le trajet ni dans l'escalier, avant de nous quitter. Je devais encore le revoir à deux ou trois reprises l'année suivante, un mois d'août au cours duquel il me déroba mes papiers militaires pour tenter de me faire incorporer de force à la caserne de Reuilly. Ensuite, je ne l'ai plus jamais revu.

Je me demande ce qu'a bien pu faire Dora Bruder, le 14 décembre 1941, dans les premiers moments de sa fugue. Peut-être a-t-elle décidé de ne pas rentrer au pensionnat juste à l'instant où elle arrivait devant le porche de celui-ci, et a-t-elle erré pendant toute la soirée, à travers le quartier jusqu'à l'heure du couvre-feu.

Quartier dont les rues portent encore des noms campagnards : les Meuniers, la Brèche-aux-Loups, le sentier des Merisiers. Mais au bout de la petite rue ombragée d'arbres qui longe l'enceinte du Saint-Cœur-de-Marie, c'est la gare aux marchandises, et plus loin, si l'on suit l'avenue Daumesnil, la gare de Lyon. Les voies ferrées de celle-ci passent à quelques centaines de mètres du pensionnat où était enfermée Dora Bruder. Ce quartier paisible, qui semble à l'écart de Paris, avec ses couvents, ses cimetières secrets et ses avenues silencieuses, est aussi le quartier des départs.

J'ignore si la proximité de la gare de Lyon avait encouragé Dora à faire une fugue. J'ignore si elle entendait, du dortoir, dans le silence des nuits de black-out, le fracas des trains de marchandises ou ceux qui partaient de la gare de

Lyon pour la zone libre… Elle connaissait sans doute ces deux mots trompeurs : zone libre.

Dans le roman que j'ai écrit, sans presque rien savoir de Dora Bruder, mais pour que sa pensée continue à m'occuper l'esprit, la jeune fille de son âge que j'avais appelée Ingrid se réfugie avec un ami en zone libre. J'avais pensé à Bella D. qui, elle aussi, à quinze ans, venant de Paris, avait franchi en fraude la ligne de démarcation et s'était retrouvée dans une prison à Toulouse ; à Anne B., qui s'était fait prendre à dix-huit ans, sans laissez-passer, en gare de Chalon-sur-Saône, et avait été condamnée à douze semaines de prison… Voilà ce qu'elles m'avaient raconté dans les années soixante.

Cette fugue, Dora Bruder l'avait-elle préparée longtemps à l'avance, avec la complicité d'un ami ou d'une amie ? Est-elle restée à Paris ou bien a-t-elle tenté de passer en zone libre ?

La main courante du commissariat de police du quartier Clignancourt porte ces indications à la date du 27 décembre 1941, sous les colonnes : *Dates et direction – États civils – Résumé de l'affaire* :

« 27 décembre 1941. Bruder Dora née le 25/2/26 à Paris 12ᵉ demeurant 41 boulevard Ornano. Audition Bruder, Ernest, 42 ans, père. »

Dans la marge sont écrits les chiffres suivants sans que je sache à quoi ils correspondent : 7029 21/12.

Le commissariat du quartier Clignancourt occupait le 12 de la rue Lambert, derrière la Butte Montmartre, et son commissaire s'appelait Siri. Mais il est probable qu'Ernest Bruder est allé, sur le côté gauche de la mairie, au commissariat d'arrondissement, 74 rue du Mont-Cenis, qui servait aussi de poste au commissariat de Clignancourt : il était plus proche de son domicile. Là, le commissaire s'appelait Cornec.

Dora avait fait sa fugue treize jours auparavant et Ernest Bruder avait attendu jusque-là pour se rendre au commissariat et signaler la disparition de sa fille. On imagine son angoisse et ses hésitations au cours de ces treize longues journées. Il n'avait pas déclaré Dora au recensement d'octobre 1940, à ce même commissariat, et les policiers risquaient de s'en apercevoir. En essayant de la retrouver, il attirait l'attention sur elle.

Le procès-verbal de l'audition d'Ernest Bruder ne figure pas aux archives de la Préfecture de police. Sans doute détruisait-on, dans les commissariats, ce genre de documents à mesure qu'ils devenaient caducs. Quelques années après la guerre, d'autres archives des commissariats ont été détruites, comme les registres spéciaux ouverts en juin 1942, la semaine où ceux qui avaient été classés dans la catégorie «juifs» ont reçu leurs trois étoiles jaunes par personne, à partir de l'âge de six ans. Sur ces registres étaient portés l'identité du «juif», son numéro de carte d'identité, son domicile, et une colonne réservée à l'émargement devait être signée par lui après qu'on lui eut remis ses étoiles. Plus d'une cinquantaine de registres avaient été ainsi ouverts dans les commissariats de Paris et de la banlieue.

On ne saura jamais à quelles questions a répondu Ernest Bruder au sujet de sa fille et de lui-même. Peut-être est-il tombé sur un fonctionnaire de police pour lequel il s'agissait d'un travail de routine, comme avant la guerre, et qui ne faisait aucune différence entre Ernest Bruder, sa fille et de simples Français. Bien sûr, cet homme était «ex-autrichien», habitait en hôtel et n'avait pas de profession. Mais sa fille était née à Paris et elle avait la nationalité française. Une fugue d'adolescente. Cela arrivait de plus en plus souvent en cette époque troublée. Est-ce le policier qui a conseillé à Ernest Bruder de passer une annonce dans *Paris-*

Soir, étant donné que deux semaines s'étaient déjà écoulées depuis que Dora avait disparu ? Ou bien un employé du journal, chargé des « chiens écrasés » et de la tournée des commissariats, a-t-il glané au hasard cet avis de recherche parmi d'autres accidents du jour, pour la rubrique « D'hier à aujourd'hui » ?

Je me souviens de l'impression forte que j'ai éprouvée lors de ma fugue de janvier 1960 – si forte que je crois en avoir connu rarement de semblables. C'était l'ivresse de trancher, d'un seul coup, tous les liens : rupture brutale et volontaire avec la discipline qu'on vous impose, le pensionnat, vos maîtres, vos camarades de classe. Désormais, vous n'aurez plus rien à faire avec ces gens-là ; rupture avec vos parents qui n'ont pas su vous aimer et dont vous vous dites qu'il n'y a aucun recours à espérer d'eux ; sentiment de révolte et de solitude porté à son incandescence et qui vous coupe le souffle et vous met en état d'apesanteur. Sans doute l'une des rares occasions de ma vie où j'ai été vraiment moi-même et où j'ai marché à mon pas.

Cette extase ne peut durer longtemps. Elle n'a aucun avenir. Vous êtes très vite brisé net dans votre élan.

La fugue – paraît-il – est un appel au secours et quelquefois une forme de suicide. Vous éprouvez quand même un bref sentiment d'éternité. Vous n'avez pas seulement tranché les liens avec le monde, mais aussi avec le temps. Et il arrive qu'à la fin d'une matinée, le ciel soit d'un bleu léger et que rien ne pèse plus sur vous. Les aiguilles de l'horloge du jardin des Tuileries sont immobiles pour toujours. Une fourmi n'en finit pas de traverser la tache de soleil.

Je pense à Dora Bruder. Je me dis que sa fugue n'était pas aussi simple que la mienne une vingtaine d'années plus tard, dans un monde redevenu inoffensif. Cette ville de décembre 1941, son couvre-feu, ses soldats, sa police, tout lui était hostile et voulait sa perte. À seize ans, elle avait le monde entier contre elle, sans qu'elle sache pourquoi.

D'autres rebelles, dans le Paris de ces années-là, et dans la même solitude que Dora Bruder, lançaient des grenades sur les Allemands, sur leurs convois et leurs lieux de réunion. Ils avaient le même âge qu'elle. Les visages de certains d'entre eux figurent sur l'Affiche Rouge et je ne peux m'empêcher de les associer, dans mes pensées, à Dora.

L'été 1941, l'un des films tournés depuis le début de l'Occupation est sorti au Normandie et ensuite dans les salles de cinéma de quartier. Il s'agissait d'une aimable comédie : *Premier rendez-vous*. La dernière fois que je l'ai vue, elle m'a causé une impression étrange, que ne justifiaient pas la légèreté de l'intrigue ni le ton enjoué des protagonistes. Je me disais que Dora Bruder avait peut-être assisté, un dimanche, à une séance de ce film dont le sujet est la fugue d'une fille de son âge. Elle s'échappe d'un pensionnat comme le Saint-Cœur-de-Marie. Au cours de cette fugue, elle rencontre ce que l'on appelle, dans les contes de fées et les romances, le prince charmant.

Ce film présentait la version rose et anodine de ce qui était arrivé à Dora dans la vraie vie. Lui avait-il donné l'idée de sa fugue ? Je concentrais mon attention sur les détails : le dortoir, les couloirs de l'internat, l'uniforme des pension-

naires, le café où attendait l'héroïne quand la nuit était tombée… Je n'y trouvais rien qui pût correspondre à la réalité,
et d'ailleurs la plupart des scènes avaient été tournées en
studio. Pourtant, je ressentais un malaise. Il venait de la
luminosité particulière du film, du grain même de la pellicule. Un voile semblait recouvrir toutes les images, accen-
tuait les contrastes et parfois les effaçait, dans une blan-
cheur boréale. La lumière était à la fois trop claire et trop
sombre, étouffant les voix ou rendant leur timbre plus fort
et plus inquiétant.

J'ai compris brusquement que ce film était imprégné par
les regards des spectateurs du temps de l'Occupation –
spectateurs de toutes sortes dont un grand nombre n'avaient
pas survécu à la guerre. Ils avaient été emmenés vers l'inconnu, après avoir vu ce film, un samedi soir qui avait été
une trêve pour eux. On oubliait, le temps d'une séance, la
guerre et les menaces du dehors. Dans l'obscurité d'une
salle de cinéma, on était serrés les uns contre les autres, à
suivre le flot des images de l'écran, et plus rien ne pouvait
arriver. Et tous ces regards, par une sorte de processus chi-
mique, avaient modifié la substance même de la pellicule,
la lumière, la voix des comédiens. Voilà ce que j'avais ressenti, en pensant à Dora Bruder, devant les images en apparence futiles de *Premier rendez-vous*.

Ernest Bruder a été arrêté le 19 mars 1942, ou, plus exactement, interné au camp de Drancy ce jour-là. Des motifs et des circonstances de cette arrestation, je n'ai trouvé aucune trace. Sur le fichier dit «familial» dont se servait la Préfecture de police et où étaient rassemblés quelques renseignements concernant chaque juif, il est noté ceci :

« Bruder Ernest
  21.5.99 – Vienne
  n° dossier juif : 49091
  Profession : Sans
  Mutilé de guerre 100 %. 2ᵉ classe légionnaire français
      gazé ; tuberculose pulmonaire.
  Casier central E56404 »

Plus bas, la fiche porte une inscription au tampon : RECHERCHÉ, suivie de cette note au crayon : «Se trouve au camp de Drancy.»

Ernest Bruder, en sa qualité de juif «ex-autrichien», aurait pu être arrêté lors de la rafle d'août 1941 au cours de laquelle les policiers français, encadrés de militaires allemands, bloquèrent le XIe arrondissement le 20 août, puis les jours suivants interpellèrent les juifs étrangers dans les rues des autres arrondissements, parmi lesquels le XVIIIe. Comment a-t-il échappé à cette rafle? Grâce à son titre d'ancien légionnaire français de 2e classe? J'en doute.

Sa fiche indique qu'il était «recherché». Mais à partir de quand? Et pour quelles raisons exactes? S'il était déjà «recherché» le 27 décembre 1941, le jour où il avait signalé la disparition de Dora au commissariat du quartier Clignancourt, les policiers ne l'auraient pas laissé repartir. Est-ce ce jour-là qu'il a attiré l'attention sur lui?

Un père essaye de retrouver sa fille, signale sa disparition dans un commissariat, et un avis de recherche est publié dans un journal du soir. Mais ce père est lui-même «recherché». Des parents perdent les traces de leur enfant, et l'un d'eux disparaît à son tour, un 19 mars, comme si l'hiver de cette année-là séparait les gens les uns des autres, brouillait et effaçait leurs itinéraires, au point de jeter un doute sur leur existence. Et il n'y a aucun recours. Ceux-là même qui sont chargés de vous chercher et de vous retrouver établissent des fiches pour mieux vous faire disparaître ensuite – définitivement.

J'ignore si Dora Bruder a appris tout de suite l'arrestation de son père. Mais je suppose que non. En mars, elle n'était pas encore revenue au 41 boulevard Ornano, depuis sa fugue de décembre. C'est du moins ce que suggèrent les quelques traces d'elle qui subsistent aux archives de la Préfecture de police.

Maintenant que se sont écoulés près de soixante ans, ces archives vont peu à peu livrer leurs secrets. La Préfecture de police de l'Occupation n'est plus qu'une grande caserne spectrale au bord de la Seine. Elle nous apparaît, au moment où nous évoquons le passé, un peu comme la maison Usher. Et aujourd'hui, nous avons peine à croire que ce bâtiment dont nous longeons les façades n'a pas changé depuis les années quarante. Nous nous persuadons que ce ne sont pas les mêmes pierres, les mêmes couloirs.

Morts depuis longtemps, les commissaires et les inspecteurs qui participaient à la traque des juifs et dont les noms résonnent d'un écho lugubre et sentent une odeur de cuir pourri et de tabac froid : Permilleux, François, Schweblin, Koerperich, Cougoule… Morts ou perclus de vieillesse, les gardiens de la paix que l'on appelait les «agents capteurs», et qui écrivaient leur nom sur le procès-verbal de chaque personne qu'ils arrêtaient, au moment des rafles. Toutes ces dizaines de milliers de procès-verbaux ont été détruites et on ne connaîtra jamais les noms des «agents capteurs». Mais il reste, dans les archives, des centaines et des centaines de lettres adressées au préfet de police de l'époque et auxquelles il n'a jamais répondu. Elles ont été là pendant plus d'un demi-siècle, comme des sacs de courrier oubliés au fond du hangar d'une lointaine étape de l'Aéropostale. Aujourd'hui nous pouvons les lire. Ceux à qui elles étaient adressées n'ont pas voulu en tenir compte et maintenant, c'est nous, qui n'étions pas encore nés à cette époque, qui en sommes les destinataires et les gardiens :

«Monsieur le Préfet
J'ai l'honneur d'attirer votre attention sur ma demande. Il s'agit de mon neveu Albert Graudens, de nationalité française, à l'âge de 16 ans, qui a été interné...»

«Monsieur le directeur du service des juifs
Je sollicite de votre haute bienveillance la libération du camp de Drancy de ma fille, Nelly Trautmann...»

«Monsieur le Préfet de Police
Je me permets de solliciter de vous une faveur en l'honneur de mon mari, Zelik Pergricht, me permettant de savoir de ses nouvelles et quelques renseignements...»

«Monsieur le Préfet de Police
J'ai l'honneur de solliciter de votre haute bienveillance et de votre générosité les renseignements concernant ma fille, Mme Jacques Lévy, née Violette Joël, arrêtée vers le 10 sep-

tembre dernier, alors qu'elle tentait de franchir la ligne de démarcation sans porter l'étoile réglementaire. Elle était accompagnée de son fils, Jean Lévy, âgé de 8 ans et demi…»

Transmis au préfet de police :

«Je sollicite de votre bienveillance la libération de mon petit-fils Michaël Rubin, 3 ans, français, de mère française, interné à Drancy avec sa mère…»

«Monsieur le Préfet
Je vous serais infiniment obligée de bien vouloir examiner le cas que je viens vous présenter : mes parents assez âgés, malades, venant d'être pris en tant que juifs et nous restons seules, ma petite sœur, Marie Grosman 15 ans 1/2, juive française, ayant la carte d'identité française n° 1594936 série B et moi-même Jeannette Grosman, également juive française, 19 ans, ayant la carte d'identité française n° 924247 série B…»

«Monsieur le directeur
Excusez-moi, si je me permets de m'adresser à vous, mais voici mon cas : le 16 juillet 1942, à 4 h du matin, on est venu chercher mon mari et comme ma fille pleurait, on l'a prise aussi.
Elle se nomme Paulette Gothelf, âgée de 14 ans 1/2 née le 19 novembre 1927 à Paris dans le 12e et elle est française…»

À la date du 17 avril 1942, la main courante du commissariat de Clignancourt porte cette inscription sous les colonnes habituelles : *Dates et direction – États civils – Résumé de l'affaire* :

« 17 avril 1942. 2098 15/24. P. Mineurs. Affaire Bruder Dora, âgée de 16 ans disparue suite PV 1917 a réintégré le domicile maternel. »

Je ne sais pas à quoi correspondent les chiffres 2098 et 15/24. « P. Mineurs », cela doit être « Protection des mineurs ». Le procès-verbal 1917 contenait certainement la déposition d'Ernest Bruder et les questions concernant Dora et lui-même qui lui avaient été posées le 27 décembre 1941. Pas d'autre trace de ce procès-verbal 1917 dans les archives.

À peine trois lignes au sujet de l'« affaire Bruder Dora ». Les notes qui suivent, dans la main courante du 17 avril, concernent d'autres « affaires » :

« Gaul Georgette Paulette, 30.7.23, née à Pantin, Seine,

de Georges et de Pelz Rose, célibataire, vit en hôtel 41 rue Pigalle. Prostitution.

Germaine Mauraire. 9.10.21, née à Entre-Deux-Eaux (Vosges). Vit en hôtel. 1 rapport P.M.

J.-R. Cretet. 9e arrondissement»

Ainsi se succèdent, dans les mains courantes des commissariats de l'Occupation, prostituées, chiens perdus, enfants abandonnés. Et – comme l'était Dora – adolescentes disparues et coupables du délit de vagabondage.

Apparemment, il n'y est jamais question de «juifs». Et pourtant, ils passèrent dans ces commissariats avant d'être conduits au Dépôt puis à Drancy. Et la petite phrase : «a réintégré le domicile maternel» suppose que l'on savait, au poste de police du quartier Clignancourt, que le père de Dora avait été arrêté le mois précédent.

Il n'y a aucune trace d'elle entre le 14 décembre 1941, jour de sa fugue, et le 17 avril 1942 où, selon la main courante, elle réintègre le domicile maternel, c'est-à-dire la chambre d'hôtel du 41 boulevard Ornano. Pendant ces quatre mois, on ignore où Dora Bruder était, ce qu'elle a fait, avec qui elle se trouvait. Et l'on ignore aussi dans quelles circonstances Dora est revenue au «domicile maternel». De sa propre initiative, après avoir appris l'arrestation de son père? Ou bien après avoir été appréhendée dans la rue, puisqu'un avis de recherche avait été lancé contre elle, à la Brigade des mineurs? Jusqu'à ce jour, je n'ai trouvé aucun indice, aucun témoin qui aurait pu m'éclairer sur ses quatre mois d'absence qui restent pour nous un blanc dans sa vie.

Le seul moyen de ne pas perdre tout à fait Dora Bruder au cours de cette période, ce serait de rapporter les changements du temps. La neige était tombée pour la première fois le 4 novembre 1941. L'hiver avait commencé par un froid vif, le 22 décembre. Le 29 décembre, la température avait encore baissé et les carreaux des fenêtres étaient couverts d'une légère couche de glace. À partir du 13 janvier, le froid était devenu sibérien. L'eau gelait. Cela avait duré environ quatre semaines. Le 12 février, il y avait un peu de soleil, comme une annonce timide du printemps. Une couche de neige, devenue noirâtre sous les piétinements des passants, et qui se transformait en boue, recouvrait les trottoirs. C'est le soir de ce 12 février que mon père fut embarqué par les policiers des Questions juives. Le 22 février, la neige était tombée de nouveau. Le 25 février, la neige tombait encore, plus abondante. Le 3 mars, après neuf heures du soir, le premier bombardement de la banlieue. À Paris, les vitres tremblaient. Le 13 mars, les sirènes s'étaient déclenchées en plein jour, pour une alerte. Les voyageurs du métro étaient restés immobilisés pendant deux heures. On les avait fait descendre dans le tunnel. Une autre alerte, le soir à dix heures. Le 15 mars, il y a eu un beau soleil. Le 28 mars, vers dix heures du soir, un bombardement lointain a duré jusqu'à minuit. Le 2 avril, une alerte, vers quatre heures du matin, et un bombardement violent jusqu'à six heures. De nouveau un bombardement à partir de onze heures du soir. Le 4 avril, les bourgeons avaient éclaté aux branches des marronniers. Le 5 avril, vers le soir, un orage de printemps est passé avec de la grêle, puis il y a eu un arc-en-ciel. N'oublie pas : demain après-midi, rendez-vous à la terrasse des Gobelins.

J'ai pu obtenir il y a quelques mois une photo de Dora Bruder, qui tranche sur celles que j'avais déjà rassemblées.

Sans doute la dernière qui a été prise d'elle. Son visage et son allure n'ont plus rien de l'enfance qui se reflétait dans toutes les photos précédentes à travers le regard, la rondeur des joues, la robe blanche d'un jour de distribution des prix... Je ne sais pas à quelle date a été prise cette photo. Certainement en 1941, l'année où Dora était pensionnaire au Saint-Cœur-de-Marie, ou bien au début du printemps 1942, quand elle est revenue, après sa fugue de décembre, boulevard Ornano.

Elle est en compagnie de sa mère et de sa grand-mère maternelle. Les trois femmes sont côte à côte, la grand-mère entre Cécile Bruder et Dora. Cécile Bruder porte une robe noire et les cheveux courts, la grand-mère une robe à fleurs. Les deux femmes ne sourient pas. Dora est vêtue d'une robe noire – ou bleu marine – et d'une blouse à col blanc, mais cela pourrait être aussi un gilet et une jupe – la photo n'est pas assez nette pour s'en rendre compte. Elle porte des bas et des chaussures à brides. Ses cheveux mi-longs lui tombent presque jusqu'aux épaules et sont ramenés en arrière par un serre-tête, son bras gauche est le long du corps, avec les doigts de la main gauche repliés et le bras droit caché par sa grand-mère. Elle tient la tête haute, ses yeux sont graves, mais il flotte sur ses lèvres l'amorce d'un sourire. Et cela donne à son visage une expression de douceur triste et de défi. Les trois femmes sont debout devant le mur. Le sol est dallé, comme le couloir d'un lieu public. Qui a bien pu prendre cette photo? Ernest Bruder? Et s'il ne figure pas sur cette photo, cela veut-il dire qu'il a déjà été arrêté? En tout cas, il semble que les trois femmes aient revêtu des habits du dimanche, face à cet objectif anonyme.

Dora porte-t-elle la jupe bleu marine indiquée sur l'avis de recherche?

Des photos comme il en existe dans toutes les familles. Le temps de la photo, ils étaient protégés quelques secondes et ces secondes sont devenues une éternité.

On se demande pourquoi la foudre les a frappés plutôt que d'autres. Pendant que j'écris ces lignes, je pense brusquement à quelques-uns de ceux qui faisaient le même métier que moi. Aujourd'hui, le souvenir d'un écrivain allemand est venu me visiter. Il s'appelait Friedo Lampe.

C'était son nom qui avait d'abord attiré mon attention, et le titre de l'un de ses livres : *Au bord de la nuit*, traduit en français il y a plus de vingt-cinq ans et dont j'avais découvert, à cette époque-là, un exemplaire dans une librairie des Champs-Élysées. Je ne savais rien de cet écrivain. Mais avant même d'ouvrir le livre, je devinais son ton et son atmosphère, comme si je l'avais déjà lu dans une autre vie.

Friedo Lampe. *Au bord de la nuit*. Ce nom et ce titre m'évoquaient les fenêtres éclairées dont vous ne pouvez pas détacher le regard. Vous vous dites que, derrière elles, quelqu'un que vous avez oublié attend votre retour depuis des années ou bien qu'il n'y a plus personne. Sauf une lampe qui est restée allumée dans l'appartement vide.

Friedo Lampe était né à Brême en 1899, la même année qu'Ernest Bruder. Il avait fréquenté l'université d'Heidelberg. Il avait travaillé à Hambourg en qualité de bibliothécaire et commencé là son premier roman, *Au bord de la nuit*. Plus tard, il avait été employé chez un éditeur à Berlin. Il était indifférent à la politique. Lui, ce qui l'intéressait, c'était de décrire le crépuscule qui tombe sur le port de Brême, la lumière blanc et lilas des lampes à arc, les matelots, les catcheurs, les orchestres, la sonnerie des trams, le pont de chemin de fer, la sirène du steamer, et tous ces gens qui se cherchent dans la nuit... Son roman était paru en octobre 1933, alors qu'Hitler était déjà au pouvoir. *Au bord de la nuit* avait été retiré des librairies et des bibliothèques et mis au pilon, tandis que son auteur était déclaré «suspect». Il n'était même pas juif. Qu'est-ce qu'on pouvait bien lui reprocher? Tout simplement la grâce et la mélancolie de son livre. Sa seule ambition – confiait-il dans une lettre – avait été de «rendre sensibles quelques heures, le soir, entre huit heures et minuit, aux abords d'un port; je pense ici au quartier de Brême où j'ai passé ma jeunesse. De brèves scènes défilant comme dans un film, entrelaçant des vies. Le tout léger et fluide, lié de façon très lâche, picturale, lyrique, avec beaucoup d'atmosphère».

À la fin de la guerre, au moment de l'avance des troupes soviétiques, il habitait la banlieue de Berlin. Le 2 mai 1945, dans la rue, deux soldats russes lui avaient demandé ses papiers, puis ils l'avaient entraîné dans un jardin. Et ils l'avaient abattu, sans avoir pris le temps de faire la différence entre les gentils et les méchants. Des voisins l'avaient inhumé, un peu plus loin, à l'ombre d'un bouleau, et avaient fait parvenir à la police ce qui restait de lui : ses papiers et son chapeau.

Un autre écrivain allemand, Felix Hartlaub, était originaire du port de Brême, comme Friedo Lampe. Il était né en 1913. Il s'est retrouvé à Paris pendant l'Occupation. Cette guerre et son uniforme vert-de-gris lui faisaient horreur. Je ne sais pas grand-chose de lui. J'ai lu, en français, dans une revue des années cinquante, un extrait d'un petit volume qu'il avait écrit, *Von Unten Gesehen*, et dont il avait confié le manuscrit à sa sœur en janvier 1945. Cet extrait avait pour titre «Notes et impressions». Il y observe le restaurant d'une gare parisienne et sa faune, le ministère des Affaires étrangères abandonné, avec ses centaines de bureaux déserts et poussiéreux, au moment où les services allemands s'y installent, les lustres qui sont restés allumés et toutes les pendules qui sonnent sans arrêt dans le silence. Il s'habillait en civil, le soir, pour oublier la guerre et se fondre dans les rues de Paris. Il nous rend compte de l'un de ses trajets nocturnes. Il prend le métro à la station Solférino. Il descend à Trinité. Il fait noir. C'est l'été. L'air est chaud. Il remonte la rue de Clichy dans le black-out. Sur le sofa du bordel, il remarque, dérisoire et solitaire, un chapeau tyrolien. Les filles défilent. «Elles sont ailleurs, comme des somnambules, sous le chloroforme. Et tout baigne – écrit-il – dans une lumière étrange d'aquarium tropical, de verre surchauffé.» Lui aussi est ailleurs. Il observe tout de loin, comme si ce monde en guerre ne le concernait pas, attentif aux minuscules détails quotidiens, aux atmosphères, et en même temps détaché, étranger à ce qui est autour de lui. Comme Friedo Lampe, il est mort à Berlin au printemps 1945, à trente-deux ans, au cours des derniers combats, dans un univers de boucherie et d'apocalypse où il se trouvait par erreur et dans un uniforme qu'on lui avait imposé mais qui n'était pas le sien.

Et maintenant, pourquoi ma pensée va-t-elle, parmi tant d'autres écrivains, vers le poète Roger Gilbert-Lecomte? Lui aussi, la foudre l'a frappé à la même période que les deux précédents, comme si quelques personnes devaient servir de paratonnerre pour que les autres soient épargnés.

Il m'est arrivé de croiser le chemin de Roger Gilbert-Lecomte. Au même âge, j'ai fréquenté comme lui les quartiers du sud : boulevard Brune, rue d'Alésia, hôtel Primavera, rue de la Voie-Verte… En 1938, il habitait encore ce quartier de la porte d'Orléans, avec une juive allemande, Ruth Kronenberg. Puis en 1939, toujours avec elle, un peu plus loin, le quartier de Plaisance, dans un atelier au 16 bis rue Bardinet. Combien de fois ai-je suivi ces rues, sans même savoir que Gilbert-Lecomte m'y avait précédé… Et sur la rive droite, à Montmartre, rue Caulaincourt, en 1965, je restais des après-midi entiers dans un café, au coin du square Caulaincourt, et dans une chambre de l'hôtel, au fond de l'impasse, Montmartre 42-99, en ignorant que Gilbert-Lecomte y avait habité, trente ans auparavant…

À la même époque, j'ai rencontré un docteur nommé Jean Puyaubert. Je croyais que j'avais un voile aux poumons. Je lui ai demandé de me signer un certificat pour éviter le service militaire. Il m'a donné rendez-vous dans une clinique où il travaillait, place d'Alleray, et il m'a radiographié : je n'avais rien aux poumons, je voulais me faire réformer et, pourtant, il n'y avait pas de guerre. Simplement, la perspective de vivre une vie de caserne comme je l'avais déjà vécue dans des pensionnats de onze à dix-sept ans me paraissait insurmontable.

Je ne sais pas ce qu'est devenu le docteur Jean Puyaubert. Des dizaines d'années après l'avoir rencontré, j'ai appris qu'il était l'un des meilleurs amis de Roger Gilbert-Lecomte et que celui-ci lui avait demandé, au même âge, le même service que moi : un certificat médical constatant qu'il avait souffert d'une pleurésie – pour être réformé.

Roger Gilbert-Lecomte… Il a traîné ses dernières années à Paris, sous l'Occupation… En juillet 1942, son amie Ruth

Kronenberg s'est fait arrêter en zone libre au moment où elle revenait de la plage de Collioure. Elle a été déportée dans le convoi du 11 septembre, une semaine avant Dora Bruder. Une jeune fille de Cologne, arrivée à Paris vers 1935, à vingt ans, à cause des lois raciales. Elle aimait le théâtre et la poésie. Elle avait appris la couture pour faire des costumes de scène. Elle avait tout de suite rencontré Roger Gilbert-Lecomte, parmi d'autres artistes, à Montparnasse...

Il a continué à habiter seul dans l'atelier de la rue Bardinet. Puis une Mme Firmat qui tenait le café, en face, l'a recueilli et s'est occupée de lui. Il n'était plus qu'une ombre. À l'automne 1942, il entreprenait des expéditions harassantes à travers la banlieue, jusqu'à Bois-Colombes, rue des Aubépines, pour obtenir d'un certain docteur Bréavoine des ordonnances qui lui permettraient de trouver un peu d'héroïne. On l'avait repéré au cours de ses allées et venues. On l'avait arrêté et incarcéré à la prison de la Santé, le 21 octobre 1942. Il y était resté jusqu'au 19 novembre, à l'infirmerie. On l'avait relâché avec une assignation à comparaître en correctionnelle le mois suivant pour «avoir à Paris, Colombes, Bois-Colombes, Asnières, en 1942, acheté et détenu illicitement et sans motif légitime des stupéfiants, héroïne, morphine, cocaïne...».

Début 1943, il a demeuré quelque temps dans une clinique d'Épinay, puis Mme Firmat l'a hébergé dans une chambre au-dessus de son café. Une étudiante à qui il avait prêté l'atelier de la rue Bardinet pendant son séjour en clinique y avait laissé une boîte d'ampoules de morphine, qu'il a utilisée goutte à goutte. Je n'ai pas retrouvé le nom de cette étudiante.

Il est mort du tétanos le 31 décembre 1943 à l'hôpital

Broussais, à l'âge de trente-six ans. Des deux recueils de poèmes qu'il avait publiés quelques années avant la guerre, l'un s'appelait : *La Vie, l'Amour, la Mort, le Vide et le Vent.*

Beaucoup d'amis que je n'ai pas connus ont disparu en 1945, l'année de ma naissance.

Dans l'appartement du 15 quai de Conti, où habitait mon père depuis 1942 – le même appartement qu'avait loué Maurice Sachs l'année précédente –, ma chambre d'enfant était l'une des deux pièces qui donnaient sur la cour. Maurice Sachs raconte qu'il avait prêté ces deux pièces à un certain Albert, surnommé « le Zébu ». Celui-ci y recevait « toute une bande de jeunes comédiens qui rêvaient de former une troupe et d'adolescents qui commençaient à écrire ». Ce « Zébu », Albert Sciaky, portait le même prénom que mon père et appartenait lui aussi à une famille juive italienne de Salonique. Et comme moi, exactement trente ans plus tard, au même âge, il avait publié à vingt et un ans, en 1938, chez Gallimard, un premier roman, sous le pseudonyme de François Vernet. Par la suite, il est entré dans la Résistance. Les Allemands l'ont arrêté. Il a écrit sur le mur de la cellule 218, deuxième division à Fresnes : « Zébu arrêté le 10.2.44. Suis au régime de rigueur pendant 3 mois, interrogé du 9 au 28 mai, ai passé la visite le 8 juin, 2 jours après le débarquement allié. »

Il est parti du camp de Compiègne dans le convoi du 2 juillet 1944 et il est mort à Dachau en mars 1945.

Ainsi, dans l'appartement où Sachs se livrait à ses trafics d'or, et où, plus tard, mon père se cachait sous une fausse identité, « le Zébu » avait occupé ma chambre d'enfant. D'autres, comme lui, juste avant ma naissance, avaient épuisé toutes les peines, pour nous permettre de n'éprouver que de petits chagrins. Je m'en étais déjà aperçu vers dix-huit ans, lors de ce trajet en panier à salade avec mon père – trajet qui n'était que la répétition inoffensive et la parodie d'autres trajets, dans les mêmes véhicules et vers les mêmes commissariats de police – mais d'où l'on ne revenait jamais à pied, chez soi, comme je l'avais fait ce jour-là.

Une fin d'après-midi de 31 décembre, où la nuit était tombée très tôt, comme aujourd'hui, j'avais vingt-trois ans et je me souviens d'avoir rendu visite au docteur Ferdière. Cet homme me témoignait la plus grande gentillesse dans une période qui était pour moi pleine d'angoisse et d'incertitude. Je savais vaguement qu'il avait accueilli Antonin Artaud à l'hôpital psychiatrique de Rodez et qu'il avait tenté de le soigner. Mais une coïncidence m'avait frappé, ce soir-là : j'avais apporté au docteur Ferdière un exemplaire de mon premier livre, *La Place de l'Étoile*, et il avait été surpris du titre. Il était allé chercher dans sa bibliothèque un mince volume de couleur grise qu'il m'avait montré : *La Place de l'Étoile* de Robert Desnos, dont il avait été l'ami. Le docteur Ferdière avait édité lui-même cet ouvrage à Rodez, en 1945, quelques mois après la mort de Desnos au camp de Terezin, et l'année de ma naissance. J'ignorais que Desnos avait écrit *La Place de l'Étoile*. Je lui avais volé, bien involontairement, son titre.

Arrêt
sur
lecture 2

C'est par un aphorisme de René Char : « Vivre, c'est s'obstiner à achever un souvenir » que débute *Livret de famille*, récit publié une vingtaine d'années avant *Dora Bruder*. La phrase de ce poète, qui fut l'une des figures majeures de la résistance littéraire au cours de la Seconde Guerre mondiale, est à double entente : elle signifie que nous sommes partagés entre le désir de prolonger le passé pour le faire revivre et la tentation de l'anéantir, de l'oublier, de le mettre à mort pour ne pas avoir à en supporter le poids. Les personnages de Patrick Modiano connaissent bien cette contradiction, qui tentent de faire revivre des quartiers perdus de la mémoire, fût-ce pour s'en libérer.

Le narrateur de *Dora Bruder* n'échappe pas à cette règle. L'enquête qu'il mène pour retrouver la trace de la jeune fille juive l'oblige à remonter le temps et à déchiffrer le palimpseste* de la mémoire.

L'épaisseur du temps

« D'hier à aujourd'hui ». La rubrique de *Paris-Soir*, dans laquelle le narrateur découvre l'avis de recherche de Dora Bruder, pourrait faire l'objet d'un retournement sémantique : c'est « d'aujourd'hui à hier » qu'il faut aller si l'on veut retrouver la trace d'une personne disparue sous l'Occupation. On ne peut « achever un souvenir » qu'en remontant le temps.

Un récit rétrospectif

En dépit de la confusion que génère la superposition des souvenirs, Patrick Modiano dissocie sans la moindre ambiguïté le moment de l'énonciation* et celui de l'énoncé*, le temps de l'écriture et celui de l'histoire relatée. Plusieurs indices, disséminés dans le récit, font référence au moment où l'auteur écrit son ouvrage. Nous apprenons par exemple que son livre, publié en 1997, fut en partie rédigé au cours de l'automne 1996 (p. 75) :

> J'ai écrit ces pages en novembre 1996.

Les autres repères temporels que comporte le récit font revivre, par étapes successives, différentes époques du passé. La plus proche du présent de l'énonciation se situe huit ans auparavant, « en décembre 1988 », lorsque le narrateur découvre « l'avis de recherche de Dora Bruder, dans le *Paris-Soir* de décembre 1941 ». Le temps qui sépare ces deux périodes très contemporaines (1988-1996) est évoqué par intermittence, puisque Patrick Modiano fait allusion à la rédaction de *Voyage de noces*, publié en 1990, et aux recherches qui lui permirent d'accéder à la fiche d'état civil de la jeune fille, quelques années après avoir lu son avis de recherche (p. 30) :

> J'ai mis quatre ans avant de découvrir la date exacte de sa naissance.

Mais, d'une façon générale, c'est vers un passé plus lointain que se tourne le romancier, donnant à sa narration* une dimension résolument rétrospective.

Les strates du passé

Le passé qu'interroge Patrick Modiano n'est pas une réalité homogène, mais un ensemble stratifié, composé d'époques différentes qui se recouvrent les unes les autres, comme se superposent « les couches successives de papiers peints et de tissus qui recouvrent les murs » (*Livret de famille*). Le lecteur de *Dora Bruder* identifie ces époques comme le géologue découvre l'histoire à ciel ouvert qu'offrent certaines montagnes : par strates successives, en suivant les lignes brisées du passé et la sinuosité des changements.

La France des années 1960 – Les premières strates que présente le roman concernent l'adolescence et l'enfance du narrateur. Ce dernier nous entraîne, à maintes reprises, dans la France des années 1960, évoquant tour à tour : ses vingt ans à Vienne en 1965 (p. 36), ses déambulations dans le quartier de la Chapelle, à Paris, en 1968 (p. 42), les impressions ressenties «lors de [sa] fugue de janvier 1960» (p. 99) ou l'aventure malheureuse qui l'obligea, «au début des années soixante», à se retrouver dans un «panier à salade» en compagnie de son père (p. 91). Quelquefois, plus rarement, le narrateur de *Dora Bruder* fait allusion à son enfance parisienne, lorsqu'il accompagnait sa mère «au marché aux Puces de Saint-Ouen» (p. 23) ou qu'il allait au cinéma, au «Clignancourt Palace» et à l'«Ornano 43» (p. 27).

Dérouler le fil – Pour fréquentes qu'elles paraissent, ces allusions à caractère autobiographique ne doivent pas faire oublier l'époque sur laquelle se concentre la quête du narrateur : celle de l'Occupation et de la disparition de Dora. L'essentiel du travail de l'enquêteur consiste à reconstituer l'itinéraire de la jeune fille pendant les années de guerre, plus précisément de son départ du pensionnat du Saint-Cœur-de-Marie le 14 décembre 1941 à sa disparition définitive le 13 août 1942. Qu'a fait Dora durant cette période ? Qui a-t-elle rencontré ? A-t-elle porté l'étoile jaune ? Comment a-t-elle survécu durant tous ces mois ? La plupart de ces questions resteront sans réponse, parce que l'adolescente juive était déjà morte, presque oubliée, lorsque le narrateur découvrit son nom pour la première fois. En dépit de ses efforts, Patrick Modiano n'apprendra rien des semaines d'errance de Dora, de ses désirs d'adolescente, de ses amours et de ses peurs, de ses révoltes de jeune fille traquée en plein Paris allemand.

Cette part de mystère, «ce blanc, ce bloc d'inconnu et de silence», oblige le romancier à pousser plus avant ses investigations. La fuite en amont l'entraîne avant la Seconde Guerre mondiale, de l'adolescence de Dora à sa venue au monde en février 1926, du mariage de ses parents deux années auparavant à la naissance de son père, Ernest Bruder, à la fin du XIXᵉ siècle.

Les points de convergence entre le narrateur et l'héroïne – Patrick Modiano ne se contente pas d'identifier des époques ou de dater,

Paris défiguré par l'occupant : une brasserie réservée aux soldats allemands...

comme le ferait un géologue, les strates temporelles que son enquête lui permet de retrouver. Fasciné par les coïncidences (« Comme beaucoup d'autres avant moi, je crois aux coïncidences », dit-il), alerté par les signes que lui adresse le destin, le romancier tente de suivre le fil ténu qui traverse, de part en part, ces époques distinctes. Par la plus singulière des correspondances, l'adolescence de Dora le renvoie à sa propre adolescence : comme elle, Patrick Modiano a fugué à l'âge de quinze ans, parce que l'internat, la solitude, la grisaille et le froid de l'hiver lui faisaient « sentir encore plus fort qu'un étau se resserre » (p. 82). L'errance de la petite Juive, les malheurs de l'adolescente traquée le renvoient également à l'histoire de son père, Juif d'origine orientale obligé de vivre d'expédients sous de fausses identités. On l'aura compris : d'un être à l'autre, d'une époque à l'autre, l'histoire se répète. Le passé n'en finit jamais d'être présent dans nos vies.

Les références intertextuelles

Dans ce récit de Patrick Modiano, le passé se manifeste également sous une forme littéraire, à travers les références intertextuelles* que délivre le narrateur.

D'un roman l'autre

Le lecteur aura sans doute remarqué que l'auteur de *Dora Bruder* fait explicitement référence à son propre travail de romancier, évoquant deux de ses œuvres romanesques au cours du récit : *La Place de l'Étoile* et *Voyage de noces*.

L'écrivain fait d'abord allusion à la genèse de ces récits : le premier d'entre eux, publié en 1968, est lié à l'aventure malheureuse qui l'entraîne dans un commissariat de police, en compagnie de son père, un soir de dispute (p. 92-93) :

> [...] j'appréhendais l'arrivée au commissariat de police, ne m'attendant à aucune compassion de sa part. Et cela me semblait d'autant plus injuste que j'avais commencé un livre – mon premier livre – où je prenais à mon compte le malaise qu'il avait éprouvé pendant l'Occupation.

Le second, publié en 1990, deux ans après la découverte de l'avis de recherche diffusé dans *Paris-Soir*, est clairement associé à l'histoire personnelle de Dora Bruder. De son propre aveu, Patrick Modiano écrivit *Voyage de noces* pour combler une absence, compenser un manque, comme s'il s'agissait d'inventer une héroïne au destin troublé – Ingrid – pour retrouver la jeune fille disparue qui le hantait (p. 78) :

> Alors le manque que j'éprouvais m'a poussé à l'écriture d'un roman, *Voyage de noces*, un moyen comme un autre pour continuer à concentrer mon attention sur Dora Bruder, et peut-être, me disais-je, pour élucider ou deviner quelque chose d'elle, un lieu où elle était passée, un détail de sa vie.

En vérité, l'histoire relatée dans *Voyage de noces* se présente comme une transposition fictive, à peine maquillée, de l'expérience vécue par Patrick Modiano en 1988. Survivance d'un passé crépusculaire, vieille coupure de journal, avis de recherche, disparition d'une jeune fille en plein Paris, quête du narrateur, rien ne manque à cette transposition ainsi qu'en témoigne la page suivante, qui constitue la quatrième de couverture de *Voyage de noces* :

« Je suis tombé sur la vieille coupure de journal qui datait de l'hiver où Ingrid avait rencontré Rigaud. C'était Ingrid qui me l'avait donnée la dernière fois que je l'avais vue. Pendant le dîner, elle avait commencé à me parler de toute cette époque, et elle avait sorti de son sac un portefeuille en crocodile, et de ce portefeuille la coupure de journal soigneusement pliée, qu'elle avait gardée sur elle pendant toutes ces années. Je me souviens qu'elle s'était tue à ce moment-là et que son regard prenait une drôle d'expression, comme si elle voulait me transmettre un fardeau qui lui avait pesé depuis longtemps ou qu'elle devinait que moi aussi, plus tard, je partirais à sa recherche.

C'était un tout petit entrefilet parmi les autres annonces, les demandes et les offres d'emplois, la rubrique des transactions immobilières et commerciales :

« On recherche une jeune fille, Ingrid Teyrsen, seize ans, 1,60 m, visage ovale, yeux gris, manteau sport brun, pull-over bleu clair, jupe et chapeau beiges, chaussures sport noires. Adresser toutes indications à M. Teyrsen, 39 *bis* boulevard Ornano, Paris. » »

Le legs

Il n'est pas rare que Patrick Modiano fasse allusion aux œuvres littéraires qui l'ont marqué. Dans *La Place de l'Étoile*, son premier roman, publié en 1968, l'écrivain multiplie les références à la littérature : allusions humoristiques ou grinçantes à Jean-Paul Sartre, Albert Camus ou Pierre Drieu la Rochelle ; simple évocation de Montaigne, Racine, Voltaire ou Stendhal ; caricatures de Rousseau et de Chateaubriand ; pastiches de Proust, de Céline ou de Valery Larbaud. Dans *La Ronde de nuit*, publié l'année suivante, Patrick Modiano ne se livre pas à un tel récital parodique, mais nous entraîne dans une histoire qui rappelle étrangement la nouvelle de Drieu la Rochelle intitulée « L'agent double », confession d'un espion publiée en 1963 dans *Histoires déplaisantes*.

Les références littéraires que recèle *Dora Bruder* n'ont nullement besoin d'être décryptées. Avec une limpidité presque déconcertante, Patrick Modiano fait allusion à *Manon Lescaut* de l'abbé Prévost (p. 33), avant d'évoquer longuement *Les Misérables* de Victor Hugo (p. 76-77). La raison en est simple. On sait qu'au terme d'une nuit d'errance, Jean Valjean et Cosette échappent à l'inspecteur Javert et à ses policiers en se cachant dans le jardin d'un couvent «que Victor Hugo situe exactement au 62 de la rue du Petit-Picpus» (p. 77). Par le plus curieux des hasards – mais est-ce un hasard? –, cette adresse est précisément celle où se trouve le pensionnat du Saint-Cœur-de-Marie qui abrita Dora Bruder du 9 mai 1940 au 14 décembre 1941. Cette coïncidence topographique serait somme toute banale si Cosette et Dora, la fillette maltraitée et la Juive traquée, ne s'étaient trouvées, à un moment précis de leur existence, dans une situation analogue, obligées de se cacher dans un institut religieux pour échapper au pire.

De Victor Hugo à Patrick Modiano... A-t-on bien vu, lisant *Dora Bruder*, que ces coïncidences affectaient aussi les romanciers? Vous remarquerez, amis lecteurs, que l'auteur de *Dora Bruder* insiste fortement sur la manière dont Victor Hugo inventa la topographie et les noms de rues d'un quartier sorti de son imagination:

> [...] jusque-là, ils traversaient les vraies rues du Paris réel, et brusquement ils sont projetés dans le quartier d'un Paris imaginaire que Victor Hugo nomme le Petit Picpus (p. 76).

> Et voici ce qui me trouble: au terme de leur fuite, à travers ce quartier dont Hugo a inventé la topographie et les noms de rues, Cosette et Jean Valjean échappent de justesse à une patrouille de police en se laissant glisser derrière un mur (p. 76-77).

Ces allusions à l'imagination créatrice de Victor Hugo ne sont pas fortuites: elles permettent d'abord à Patrick Modiano de reconnaître un héritage, d'assumer une filiation, comme le fit avant lui Robert Desnos dans le poème intitulé *Le Legs*. En faisant référence aux *Misérables*, le romancier contemporain ne cherche pas seulement à payer ses dettes littéraires pour éviter de se retrouver, comme un personnage de Dickens, en prison à vie avec des insolvables; il renvoie également à son propre travail de romancier mêlant réalité et fiction, personnages réels et figures imaginaires. Ainsi, l'héroïne de *Voyage de noces* est-elle à Dora Bruder ce que le Petit Picpus de Victor Hugo est au Paris du XIXe siècle : une sorte d'enclave imaginaire, de prolongement fictionnel, par lequel l'expression créatrice vient au secours du réel.

Biographe d'écrivains

Faute de pouvoir reconstituer pleinement la vie de Dora Bruder et de raconter son histoire, Patrick Modiano s'improvise biographe des écrivains qui l'ont précédé. Pendant une dizaine de pages, il évoque le destin de romanciers, allemands ou français, qui ont été frappés par la foudre de la Seconde Guerre mondiale : Friedo Lampe, né à Brême en 1899, la même année qu'Ernest Bruder, auteur du livre intitulé *Au bord de la nuit*; Felix Hartlaub, également originaire de Brême, qui vécut une partie de la guerre à Paris, avant de mourir à Berlin « au printemps 1945, à trente-deux ans, au cours des derniers combats, dans un univers de boucherie et d'apocalypse » (p. 113). Lisant les pages qu'il consacre à ces romanciers allemands, presque inconnus en France, on a le sentiment que Patrick Modiano s'élève contre le silence et l'oubli. Une émotion plus intense encore traverse le passage consacré au poète français Roger Gilbert-Lecomte dont l'auteur de *Dora Bruder* évoque la vie brève et paroxystique, presque incandescente. La révolte, la solitude, la douloureuse expérience de la drogue, puis la mort qui l'emporte prématurément à l'âge de trente-six ans dans le dénuement le plus total, font de ce « poète maudit » l'un des êtres les plus bouleversants d'une époque maudite. Patrick Modiano évoque la vie de Roger Gilbert-Lecomte sous l'Occupation sans jamais céder à l'emphase ou au pathos – sans même souligner la coïncidence, forcément troublante à ses yeux, d'une mort qui survient le 31 décembre 1943, deux ans jour pour jour après la publication de l'avis de recherche de Dora Bruder.

S'est-on demandé ce qui relie Patrick Modiano à Friedo Lampe, Felix Hartlaub, Maurice Sachs, Albert Sciaky, qui publia aux éditions Gallimard un premier roman à l'âge de vingt et un ans sous le pseudonyme de François Vernet, ou Robert Desnos, mort au camp de Terezín, en Tchécoslovaquie, après l'arrivée des Américains ? La réponse est d'autant plus simple que Patrick Modiano la formule au cours du roman : tous ces écrivains sont morts en 1945, l'année même de sa naissance.

Pour une lecture

Introduction

Dans ce passage (depuis « Une fin d'après-midi... » à « Je lui avais volé, bien involontairement, son titre » p. 117), le narrateur, qui vient de raconter le destin de plusieurs écrivains emportés par la tourmente de la guerre, évoque une visite au docteur Ferdière, peu après la publication de *La Place de l'Étoile*. Il découvre alors que ce titre est celui d'un livre de Robert Desnos publié par le médecin en 1945, peu avant la mort du poète. Une fois de plus, le passé du narrateur s'entrelace donc avec celui des victimes de la barbarie nazie.

1 – Une visite symbolique

a) Le médecin et l'écrivain :

La visite au docteur Ferdière est hautement symbolique : implicitement, le narrateur s'identifie par lui à Roger Gilbert-Lecomte dont il vient de nommer les médecins, notamment le docteur Puyaubert qu'il a lui-même consulté dans sa jeunesse pour des raisons analogues à celles de Gilbert-Lecomte. Il sait également que le docteur Ferdière a tenté de soigner la folie du poète Antonin Artaud pendant son internement à l'hôpital de Rodez. Jeune écrivain, le narrateur vient à son tour chercher un réconfort moral auprès du médecin. On songe enfin à la relation du poète Gérard de Nerval avec le docteur Blanche, qui le soigne et encourage l'écriture de son chef-d'œuvre *Aurélia*. Cette identification à Nerval est confirmée par la parution d'un article consacré à ce poète par Patrick Modiano dans *Le Monde des livres* du 2 juillet 2004.

b) Le secret de La Place de l'Étoile :

Au cours de cette visite, le narrateur fait une étrange découverte. Comme il vient d'offrir son premier roman au docteur Ferdière, celui-ci lui apporte un exemplaire original de *La Place de l'Étoile*, courte pièce de Robert Desnos dont il a été l'ami et qu'il a publiée peu avant la mort du poète au camp de Terezín. L'identification involontaire se confirme lorsque le narrateur précise que la mort de Robert Desnos intervient quelques mois avant sa propre naissance, laissant imaginer qu'il pourrait être son double revenu à l'existence. Cette suggestion s'apparente à tous les faits qui associent le narrateur et Dora Bruder, et prolonge de manière inattendue la théorie du «don de voyance» des écrivains, exposée pages 77-78.

2 – Une écriture poétique minimaliste

a) Un récit poétique :

Ce passage est à lui seul une histoire et pourrait être considéré comme une très brève nouvelle comportant un incipit, un portrait, une révélation et une admirable formule conclusive. La première phrase ménage un mystère et fait songer à de nombreux incipit de la littérature classique et des propres romans de Patrick Modiano. La coïncidence constatée nous introduit dans un monde parallèle qui n'est pas sans faire songer au genre du conte fantastique. Le sens du détail symbolique se manifeste dans la mention du «mince volume» dont la «couleur grise» fait discrètement allusion à la tristesse et à l'atmosphère nocturne et hivernale de l'Occupation.

b) Un minimalisme scrupuleux et significatif :

Le narrateur rédige ce passage dans une langue volontairement dépouillée qui se contente de rapporter l'essentiel. Ce minimalisme se traduit par le choix d'un vocabulaire simple, mais il dissimule un phrasé beaucoup plus complexe où jouent les temporalités entrelacées. Cette manière permet au narrateur d'établir une nouvelle fois la coïncidence du passé et du présent, la relation de son existence avec celle des disparus, d'une façon naturelle et délicate qui traduit admirablement son émotion et la communique au lecteur. Vous remarquerez combien le narrateur utilise à son propre sujet le même vocabulaire et les mêmes formules qu'il a employées auparavant en évoquant le parcours de Dora et des écrivains disparus pendant la guerre : «la nuit était tombée très tôt», «dans une période [...] pleine d'angoisse et d'incertitude», etc. Notez aussi l'expression : «la plus grande gentillesse». Sous son apparence anodine, elle dissimule peut-être un autre sens. En effet, dans son article consacré à Nerval, Patrick Modiano définit le nom commun « gentil » par son sens étymologique : « noble ». L'attention bienveillante du docteur Ferdière est en effet une forme de noblesse morale.

Conclusion

Dans ce passage, l'auteur conclut une longue séquence consacrée au destin des écrivains victimes de la guerre, à un moment de son enquête où il ne parvient plus à découvrir de nouveaux renseignements au sujet de Dora. Ce court récit lui permet malgré tout d'affirmer sa solidarité avec tous les persécutés de l'Occupation, et de relire sa propre biographie en lien étroit avec les heures les plus noires du Paris des années 1940.

à vous...

Lecture analytique

1 – Comparez l'extrait de *Voyage de noces* proposé page 123 à l'histoire relatée dans *Dora Bruder*.

a – Quels points communs percevez-vous ?

b – En quoi le travail du romancier a-t-il consisté dans le premier de ces romans ?

c – À l'aide d'un tableau comparatif, montrez quelles similitudes et quelles différences présentent les deux avis de recherche.

2 – a – À partir des dates que comporte le roman, reconstituez l'itinéraire de Dora Bruder sous l'Occupation.

b – Placez ces dates sur une frise chronologique, en indiquant sous chacune d'elles la page du roman où elles apparaissent pour la première fois. Que constatez-vous ?

Recherches documentaires

1 – Préparez un exposé sur Roger Gilbert-Lecomte et le Grand Jeu, mouvement littéraire dont il était l'une des figures marquantes.

2 – Faites des recherches pour mieux connaître la vie et l'œuvre de Robert Desnos.

a – À quel mouvement littéraire a-t-il participé dans les années 1920 ?

b – Sous quels pseudonymes publiait-il certains de ses textes durant l'Occupation ? Pourquoi ?

c – Dans quelles circonstances a-t-il été arrêté, puis déporté vers les camps de la mort ?

d – Retracez l'itinéraire de Robert Desnos, d'avril 1942, date à laquelle il gifle le journaliste fasciste et antisémite Alain Laubreaux, à sa mort au camp de Terezín, le 8 juin 1945.

3 – Dans *Dora Bruder*, Patrick Modiano fait référence à « l'Affiche rouge » (p. 100).

a – Par qui, où et quand cette affiche a-t-elle été placardée ?

b – Quel message cherchait-elle à délivrer ? Comment sera-t-elle comprise ?

c – De quelle façon Louis Aragon évoque-t-il cet épisode de la Résistance dans le poème intitulé « Strophes pour se souvenir » ?

Repérages historiques

1 – a – En faisant appel à vos connaissances en histoire, expliquez ce que fut la collaboration pendant la Seconde Guerre mondiale.

b – Montrez qu'il convient de distinguer deux formes de collaboration : la collaboration d'État et la collaboration économique.

2 – À l'aide du roman de Patrick Modiano et de vos propres recherches, expliquez ce que furent, sous l'Occupation, les lois antijuives du gouvernement de Vichy et les rafles comme celle du Vél' d'Hiv en 1942.

3 – Dans un ouvrage consacré à la résistance littéraire pendant la Seconde Guerre mondiale, l'écrivain Pierre Seghers compare le sort fait aux Juifs sous l'Occupation au massacre de la Saint-Barthélemy. Comment comprenez-vous cette comparaison ?

Un ami a trouvé, il y a deux mois, dans les archives du Yivo Institute, à New York, ce document parmi tous ceux de l'ancienne Union générale des israélites de France, organisme créé pendant l'Occupation :

« 3 L/SBL/   Le 17 juin 1942
                                            0032

Note pour Mlle Salomon
Dora Bruder a été remise à sa mère le 15 courant, par les soins du commissariat de police du quartier Clignancourt.
En raison de ses fugues successives, il paraîtrait indiqué de la faire admettre dans une maison de redressement pour l'enfance.
Du fait de l'internement du père et de l'état d'indigence de la mère, les assistantes sociales de la police (quai de Gesvres) feraient le nécessaire si on le leur demandait. »

Ainsi, Dora Bruder, après son retour au domicile maternel le 17 avril 1942, a fait de nouveau une fugue. Sur la durée de celle-ci, nous ne saurons rien. Un mois, un mois et demi volé au printemps 1942? Une semaine? Où et dans quelles circonstances a-t-elle été appréhendée et conduite au commissariat du quartier Clignancourt?

Depuis le 7 juin, les juifs étaient astreints au port de l'étoile jaune. Ceux dont les noms commençaient par les lettres A et B étaient allés chercher ces étoiles dans les commissariats dès le mardi 2 juin et ils avaient signé les registres ouverts à cet effet. Au moment où on l'emmenait au commissariat, Dora Bruder portait-elle l'étoile? J'en doute, quand je me souviens de ce que disait d'elle sa cousine. Un caractère rebelle et indépendant. Et puis, il y avait de fortes chances pour qu'elle fût en cavale bien avant le début de juin.

S'est-elle fait arrêter dans la rue parce qu'elle ne portait pas l'étoile? J'ai retrouvé la circulaire du 6 juin 1942 précisant le sort de ceux qui étaient pris en infraction à la huitième ordonnance relative au port de l'insigne :

«Le Directeur de la Police Judiciaire et le Directeur de la Police Municipale :

À MM. les commissaires divisionnaires, commissaires de la voie publique des arrondissements, commissaires des quartiers de Paris et tous autres services police municipale et police judiciaire (en communication : Direction des renseignements généraux, Direction des services techniques, Direction des étrangers et des affaires juives…).

Procédure :

1 – Juifs – hommes âgés de 18 ans et plus :

Tout juif en infraction sera envoyé au dépôt par les soins du commissaire de voie publique avec un ordre d'envoi spécial et individuel, établi en deux exemplaires (la copie étant destinée à M. Roux, commissaire divisionnaire, chef des compagnies de circulation – section du dépôt). Cette pièce énoncera, outre le lieu, le jour, l'heure et les circonstances de l'arrestation, les nom, prénom, date et lieu de naissance, situation de famille, profession, domicile et nationalité du détenu administratif.

2 – Mineurs des deux sexes de 16 à 18 ans et femmes juives :

Ils seront également envoyés au dépôt par les soins des commissaires de voie publique suivant les modalités énoncées ci-dessus.

La permanence du dépôt transmettra les ordres d'envoi originaux à la Direction des étrangers et des affaires juives, qui, après avis de l'autorité allemande, statuera sur leur cas. Aucun élargissement ne devra être effectué sans ordre écrit de cette direction.

La Direction de la Police Judiciaire
Tanguy
La Direction de la Police Municipale
Hennequin »

Des centaines d'adolescents comme Dora furent arrêtés dans la rue, en ce mois de juin, selon les consignes précises et détaillées de MM. Tanguy et Hennequin. Ils passèrent par le Dépôt et Drancy, avant Auschwitz. Bien sûr, les « ordres d'envois spéciaux et individuels », dont une copie était destinée à M. Roux, ont été détruits après la guerre ou peut-être même au fur et à mesure des arrestations. Mais il en reste quand même quelques-uns, laissés par mégarde :

«Rapport du 25 août 1942

Le 25 août 1942

J'envoie au dépôt pour défaut de port de l'insigne juif :

Sterman, Esther, née le 13 juin 1926 à Paris 12e, 42 rue des Francs-Bourgeois – 4e.

Rotsztein, Benjamin, né le 19 décembre 1922 à Varsovie, 5 rue des Francs-Bourgeois, arrêtés à la gare d'Austerlitz par les inspecteurs de la 3e section des renseignements généraux.»

Rapport de police en date du 1er septembre 1942 :

«Les inspecteurs Curinier et Lasalle à Monsieur le Commissaire principal, chef de la Brigade Spéciale

Nous mettons à votre disposition la nommée Jacobson Louise née le vingt-quatre décembre mille neuf cent vingt-quatre à Paris, douzième arrondissement [...] depuis mille neuf cent vingt-cinq de nationalité française par naturalisation, de race juive, célibataire.

Demeurant chez sa mère, 8 rue des Boulets, 11e arrondissement, étudiante.

Arrêtée ce jour vers quatorze heures, au domicile de sa mère, dans les circonstances suivantes :

Alors que nous procédions à une visite domiciliaire au lieu sus-indiqué, la jeune Jacobson est entrée chez elle et nous avons remarqué qu'elle ne portait pas l'insigne propre aux juifs ainsi qu'il est prescrit par une ordonnance allemande.

Elle nous a déclaré être partie de chez elle à huit heures trente minutes et être allée à un cours de préparation au baccalauréat au Lycée Henri-IV, rue Clovis.

Par ailleurs, des voisins de cette jeune personne nous ont

déclaré que cette jeune personne sortait souvent de chez elle sans cet insigne.

La demoiselle Jacobson est inconnue aux archives de notre direction ainsi qu'aux sommiers judiciaires. »

« 17 mai 1944. Hier à 22 h 45, au cours d'une ronde, deux gardiens de la paix du 18ᵉ arrondissement ont arrêté le juif Français Barmann, Jules, né le 25 mars 1925 à Paris 10ᵉ, domicilié 40 bis rue du Ruisseau (18ᵉ) qui, sur interpellation des deux gardiens, avait pris la fuite, étant dépourvu de l'étoile jaune. Les gardiens ont tiré trois coups de feu dans sa direction sans l'atteindre et l'ont arrêté au 8ᵉ étage de l'immeuble 12 rue Charles-Nodier (18ᵉ) où il s'était réfugié. »

Mais, selon la « Note pour Mlle Salomon », Dora Bruder, elle, a été remise à sa mère. Qu'elle portât l'étoile ou non – sa mère, elle, devait déjà la porter depuis une semaine – cela veut dire qu'au commissariat de Clignancourt, ce jour-là, ils n'ont pas fait la différence entre Dora et n'importe quelle jeune fille fugueuse. À moins que les policiers eux-mêmes ne soient à l'origine de la « Note pour Mlle Salomon ».

Je n'ai pas retrouvé la trace de cette Mlle Salomon. Est-elle encore vivante ? Elle travaillait apparemment à l'UGIF, un organisme dirigé par des notables israélites français et qui regroupait pendant l'Occupation les œuvres d'assistance destinées à la communauté juive. L'Union générale des israélites de France joua en effet un rôle d'assistance pour un grand nombre de personnes mais elle avait malheureusement une origine ambiguë, puisqu'elle fut créée à l'initiative des Allemands et de Vichy, les Allemands pensant qu'un tel organisme sous leur contrôle faciliterait leurs desseins, comme les *Judenrate* qu'ils avaient établis dans les villes de Pologne.

Les notables et le personnel de l'UGIF portaient sur eux une carte appelée «de légitimation», qui les mettait à l'abri des rafles et des internements. Mais bientôt, ce passe-droit se révéla illusoire. À partir de 1943, des centaines de dirigeants et d'employés de l'UGIF furent arrêtés et déportés. Dans la liste de ceux-ci, j'ai trouvé une Alice Salomon, qui travaillait en zone libre. Je doute qu'elle soit cette Mlle Salomon à qui était adressée la note au sujet de Dora.

Qui a écrit cette note? Un employé de l'UGIF. Et cela suppose que l'on connaissait à l'UGIF, depuis un certain temps, l'existence de Dora Bruder et de ses parents. Il est probable que Cécile Bruder, la mère de Dora, a fait appel, en désespoir de cause, à cet organisme, comme la plupart des juifs qui vivaient dans une extrême précarité et n'avaient plus aucun autre recours. C'était aussi le seul moyen pour elle d'avoir des nouvelles de son mari, interné au camp de Drancy depuis mars, et de lui faire parvenir des colis. Et elle pensait peut-être qu'avec l'aide de l'UGIF elle finirait par retrouver sa fille.

«Les assistantes sociales de la police (quai de Gesvres) feraient le nécessaire si on le leur demandait.» Elles étaient au nombre de vingt et appartenaient, en cette année 1942, à la Brigade de protection des mineurs de la Police judiciaire. Elles y formaient une section autonome dirigée par une assistante de police principale-chef.

J'ai retrouvé une photo de deux d'entre elles prise à cette époque. Des femmes d'environ vingt-cinq ans. Elles portent un manteau noir – ou bleu marine – et, sur la tête, une sorte de calot orné d'un écusson avec deux P : Préfecture de Police. Celle de gauche, une brune dont les cheveux tombent presque à la hauteur des épaules, tient à la main une sacoche. Celle de droite semble avoir du rouge aux lèvres. Derrière la brune, sur le mur, deux plaques où il est écrit : ASSISTANTES DE POLICE. Au-dessous, une flèche. Au-dessous : «Permanence de 9 h 30 à 12 h.» La tête et le calot de la brune cachent à moitié les inscriptions de la plaque inférieure. On peut y lire, tout de même :

Section D'E…

INSPECTEURS

En dessous, une flèche : «Couloir à Droite Porte…»

On ne saura jamais le numéro de cette porte.

Je me demande ce qui s'est passé, pour Dora, entre le 15 juin, quand elle se trouve au commissariat du quartier Clignancourt, et le 17 juin, le jour de la «Note pour Mlle Salomon». Est-ce qu'on l'a laissée sortir de ce commissariat avec sa mère?

Si elle a pu quitter le poste de police et rentrer à l'hôtel du boulevard Ornano en compagnie de sa mère – c'était tout près, il suffisait de suivre la rue Hermel –, alors cela veut dire qu'on est venu la rechercher trois jours plus tard, après que Mlle Salomon eut pris contact avec les assistantes sociales de la police, quai de Gesvres, au numéro 12, où se trouvait le Service de Protection de l'Enfance.

Mais j'ai l'impression que les choses ne se sont pas déroulées aussi simplement. J'ai souvent suivi cette rue Hermel dans les deux sens, vers la Butte Montmartre ou vers le boulevard Ornano, et j'ai beau fermer les yeux, j'ai peine à imaginer Dora et sa mère marchant le long de cette rue jusqu'à leur chambre d'hôtel, par un après-midi ensoleillé de juin, comme si c'était un jour ordinaire.

Je crois que le 15 juin, dans ce commissariat de police du quartier Clignancourt, un engrenage s'est déclenché, auquel

Dora ni sa mère ne pouvaient plus rien. Il arrive que les enfants éprouvent des exigences plus grandes que celles de leurs parents et qu'ils adoptent devant l'adversité une attitude plus violente que la leur. Ils laissent loin, très loin, derrière eux, leurs parents. Et ceux-ci, désormais, ne peuvent plus les protéger.

Face aux policiers, à Mlle Salomon, aux assistantes sociales de la Préfecture, aux ordonnances allemandes et aux lois françaises, Cécile Bruder devait se sentir bien vulnérable, avec l'étoile jaune qu'elle portait, son mari interné au camp de Drancy, et son «état d'indigence». Et bien désemparée face à Dora, qui était une rebelle, et avait voulu, à plusieurs reprises, déchirer cette nasse tendue sur elle et ses parents.

«En raison de ses fugues successives, il paraîtrait indiqué de la faire admettre dans une maison de redressement pour l'enfance.»

Peut-être Dora a-t-elle été emmenée, du commissariat de Clignancourt, au Dépôt de la Préfecture de police, comme il était d'usage. Alors elle a connu la grande salle à soupirail, les cellules, les paillasses sur lesquelles s'entassaient pêle-mêle les juives, les prostituées, les «droits-communs», les «politiques». Elle a connu les punaises, l'odeur infecte et les gardiennes, ces religieuses vêtues de noir, avec leur petit voile bleu et desquelles il ne fallait attendre aucune miséricorde.

Ou bien l'a-t-on conduite directement quai de Gesvres, permanence de 9 h 30 à 12 h. Elle a suivi le couloir, à droite, jusqu'à cette porte dont j'ignorerai toujours le numéro.

En tout cas, le 19 juin 1942, elle a dû monter dans une

voiture cellulaire, où se trouvaient déjà cinq autres filles de son âge. À moins que ces cinq-là, on ne les ait prises en faisant la tournée des commissariats. La voiture les a menées jusqu'au centre d'internement des Tourelles, boulevard Mortier, à la porte des Lilas.

Pour l'année 1942, il existe un registre des Tourelles. Sur la couverture de celui-ci est écrit : FEMMES. Y sont consignés les noms des internées, au fur et à mesure de leur arrivée. Il s'agissait de femmes arrêtées pour faits de résistance, de communistes et, jusqu'en août 1942, de juives qui avaient commis une infraction aux ordonnances allemandes : défense de sortir après huit heures du soir, port de l'étoile jaune, défense de franchir la ligne de démarcation pour passer en zone libre, défense d'utiliser un téléphone, d'avoir un vélo, un poste de TSF...

À la date du 19 juin 1942, on lit sur ce registre :

«Entrées 19 juin 1942
439. 19.6.42. 5ᵉ Bruder Dora, 25.2.26. Paris 12ᵉ. Française. 41 bd d'Ornano. J. xx Drancy le 13/8/42.»

Les noms qui suivent, ce jour-là, sont ceux des cinq autres filles, toutes de l'âge de Dora :

«440. 19.6.42. 5ᵉ Winerbett Claudine. 26.11.24. Paris 9ᵉ. Française. 82 rue des Moines. J. xx Drancy le 13/8/42.

1. 19.6.42. 5ᵉ Strohlitz Zélie. 4.2.26. Paris 11ᵉ. Française. 48 rue Molière. Montreuil. J. Drancy 13/8/42.

2. 19.6.42. Israelowicz Raca. 19.7.1924. Lodz. ind. J. 26 rue (illisible). Remise autorités allemandes convoi 19/7/42.

3. Nachmanowicz Marthe. 23.3.25. Paris. Française. 258 rue Marcadet. J. xx Drancy 13/8/42.

4. 19.6.42. 5ᵉ Pitoun Yvonne. 27.1.25. Alger. Française. 3 rue Marcel-Sembat. J. xx Drancy le 13/8/42.»

Les gendarmes leur donnaient à chacune un numéro matricule. À Dora, le numéro 439. J'ignore le sens du chiffre 5ᵉ. La lettre J voulait dire : juive. Drancy le 13/8/42 a été rajouté, chaque fois : le 13 août 1942, les trois cents femmes juives qui étaient encore internées aux Tourelles furent transférées au camp de Drancy.

Ce vendredi 19 juin, le jour où Dora est arrivée aux Tourelles, on avait fait rassembler dans la cour de la caserne toutes les femmes après le déjeuner. Trois officiers allemands étaient présents. On a donné l'ordre aux juives de dix-huit à quarante-deux ans de se mettre sur un rang, le dos tourné. L'un des Allemands avait déjà la liste complète de celles-ci et les appelait au fur et à mesure. Les autres sont remontées dans leurs chambrées. Les soixante-six femmes, que l'on avait ainsi séparées de leurs compagnes, ont été enfermées dans une grande pièce vide, sans un lit, sans un siège, où elles sont restées isolées pendant trois jours, les gendarmes se tenant en faction devant la porte.

Le lundi 22 juin, à cinq heures du matin, des autobus sont venus les chercher pour les mener au camp de Drancy. Le jour même, elles étaient déportées dans un convoi de plus de neuf cents hommes. C'était le premier convoi qui partait de France avec des femmes. La menace qui planait sans qu'on pût très bien lui donner un nom et que, par moments, on finissait par oublier s'est précisée pour les juives des Tourelles. Et pendant les trois premiers jours de son internement, Dora a vécu dans ce climat oppressant. Le matin du lundi, quand il faisait encore nuit, elle a vu par les fenêtres fermées, comme toutes ses camarades d'internement, partir les soixante-six femmes.

Un fonctionnaire de police avait établi le 18 juin, ou dans la journée du 19 juin, l'ordre d'envoi de Dora Bruder au camp des Tourelles. Cela se passait-il dans le commissariat du quartier Clignancourt ou 12 quai de Gesvres, au Service de la Protection de l'Enfance ? Cet ordre d'envoi devait être dressé en deux exemplaires qu'il fallait remettre aux convoyeurs des voitures cellulaires, revêtu d'un cachet et d'une signature. Au moment de signer, ce fonctionnaire mesurait-il la portée de son geste ? Au fond, il ne s'agissait, pour lui, que d'une signature de routine et, d'ailleurs, l'endroit où était envoyée cette jeune fille était encore désigné par la Préfecture de police sous un vocable rassurant : «Hébergement. Centre de séjour surveillé.»

J'ai pu identifier quelques femmes, parmi celles qui sont parties le lundi 22 juin, à cinq heures du matin, et que Dora a croisées en arrivant le jeudi aux Tourelles.

Claudette Bloch avait trente-deux ans. Elle s'était fait arrêter, en allant avenue Foch, au siège de la Gestapo, demander des nouvelles de son mari arrêté en décembre 1941. Elle a été l'une des rares personnes survivantes du convoi.

Josette Delimal avait vingt et un ans. Claudette Bloch l'avait connue au Dépôt de la Préfecture de police avant qu'elles fussent toutes les deux internées aux Tourelles, le même jour. Selon son témoignage, Josette Delimal «avait eu la vie dure avant la guerre et n'avait pas accumulé l'énergie que l'on puise dans les souvenirs heureux. Elle était

complètement effondrée. Je la réconfortais de mon mieux
[…]. Lorsqu'on nous conduisit au dortoir où l'on nous assi-
gna un lit, je demandai avec insistance que nous ne soyons
pas séparées. Nous ne nous quittâmes pas jusqu'à Auschwitz, où bientôt le typhus l'emporta». Voilà le peu de chose
que je sais de Josette Delimal. J'aimerais en savoir plus.

Tamara Isserlis. Elle avait vingt-quatre ans. Une étudiante en médecine. Elle avait été arrêtée au métro Cluny
pour avoir porté «sous l'étoile de David le drapeau français». Sa carte d'identité, que l'on a retrouvée, indique
qu'elle habitait 10 rue de Buzenval à Saint-Cloud. Elle avait
le visage ovale, les cheveux châtain blond et les yeux noirs.

Ida Levine. Vingt-neuf ans. Il reste quelques lettres d'elle
à sa famille, qu'elle écrivait du Dépôt, puis du camp des
Tourelles. Elle a jeté sa dernière lettre du train, en gare de
Bar-le-Duc, et des cheminots l'ont postée. Elle y disait : «Je
suis en route pour une destination inconnue mais le train
d'où je vous écris se dirige vers l'est : peut-être allons-nous
assez loin…»

Hena : Je l'appellerai par son prénom. Elle avait dix-neuf
ans. Elle s'était fait arrêter parce qu'elle avait cambriolé un
appartement, elle et son ami, et dérobé cent cinquante mille
francs de l'époque et des bijoux. Peut-être rêvait-elle de
quitter la France avec cet argent et d'échapper aux menaces
qui pesaient sur sa vie. Elle était passée devant un tribunal
correctionnel. On l'avait condamnée pour ce vol. Comme
elle était juive, on ne l'avait pas enfermée dans une prison
ordinaire, mais aux Tourelles. Je me sens solidaire de son
cambriolage. Mon père aussi, en 1942, avec des complices,
avait pillé les stocks de roulements à billes de la société
SKF avenue de la Grande-Armée, et ils avaient chargé la
marchandise sur des camions, pour l'apporter jusqu'à leur

officine de marché noir, avenue Hoche. Les ordonnances allemandes, les lois de Vichy, les articles de journaux ne leur accordaient qu'un statut de pestiférés et de droit commun, alors il était légitime qu'ils se conduisent comme des hors-la-loi afin de survivre. C'est leur honneur. Et je les aime pour ça.

Ce que je sais d'autre sur Hena se résume à presque rien : elle était née le 11 décembre 1922 à Pruszkow en Pologne et habitait 142 rue Oberkampf, une rue dont j'ai souvent, comme elle, suivi la pente.

Annette Zelman. Elle avait vingt et un ans. Elle était blonde. Elle habitait 58 boulevard de Strasbourg. Elle vivait avec un jeune homme, Jean Jausion, fils d'un professeur de médecine. Il avait publié ses premiers poèmes dans une revue surréaliste, *Les Réverbères*, qu'ils avaient créée lui et des amis, peu de temps avant la guerre.

Annette Zelman. Jean Jausion. En 1942, on les voyait souvent au café de Flore, tous les deux. Ils s'étaient réfugiés un certain temps en zone libre. Et puis le malheur était tombé sur eux. Il tient en peu de mots, dans une lettre d'un officier de la Gestapo :

« 21 mai 1942 concerne : Mariage entre non-juifs et juifs

J'ai appris que le ressortissant français (aryen) Jean Jausion, étudiant en philosophie, 24 ans, habitant Paris, a l'intention d'épouser pendant les jours de Pentecôte la juive Anna, Malka Zelman, née le 6 octobre 1921 à Nancy.

Les parents de Jausion désiraient eux-mêmes empêcher de toute manière cette union, mais ils n'en ont pas le moyen.

J'ai par conséquent ordonné, comme mesure préventive, l'arrestation de la juive Zelman et son internement dans le camp de la caserne des Tourelles... »

Et une fiche de la police française :

« Annette Zelman, juive, née à Nancy le 6 octobre 1921. Française : arrêtée le 23 mai 1942. Écrouée au dépôt de la Préfecture de police du 23 mai au 10 juin, envoyée au camp des Tourelles du 10 juin au 21 juin, transférée en Allemagne le 22 juin. Motif de l'arrestation : projet de mariage avec un Aryen, Jean Jausion. Les deux futurs ont déclaré par écrit renoncer à tout projet d'union, conformément au désir instant du Dr H. Jausion, qui avait souhaité qu'ils en fussent dissuadés et que la jeune Zelman fût simplement remise à sa famille, sans être aucunement inquiétée. »

Mais ce docteur qui usait d'étranges moyens de dissuasion était bien naïf : la police n'a pas remis Annette Zelman à sa famille.

Jean Jausion est parti comme correspondant de guerre à l'automne 1944. J'ai retrouvé dans un journal du 11 novembre 1944 cet avis :

« Recherche. La direction de notre confrère *Franc-Tireur* serait reconnaissante à toutes personnes pouvant donner des nouvelles sur la disparition d'un de ses collaborateurs, Jausion, né le 20 août 1917 à Toulouse, domicilié 21 rue Théodore-de-Banville, Paris. Parti le 6 septembre comme reporter de *Franc-Tireur* avec un jeune ménage d'anciens maquisards, les Leconte, dans une Citroën 11 noire, traction avant, immatriculée RN 6283 portant à l'arrière l'inscription blanche : *Franc-Tireur*. »

J'ai entendu dire que Jean Jausion avait lancé sa voiture

sur une colonne allemande. Il les avait mitraillés avant qu'ils ne ripostent et qu'il ne trouve la mort qu'il était venu chercher.

L'année suivante, en 1945, un livre de Jean Jausion paraissait. Il avait pour titre : *Un homme marche dans la ville*.

J'ai trouvé, par hasard, il y a deux ans, dans une librairie des quais, la dernière lettre d'un homme qui est parti dans le convoi du 22 juin, avec Claudette Bloch, Josette Delimal, Tamara Isserlis, Hena, Annette, l'amie de Jean Jausion...

La lettre était à vendre, comme n'importe quel autographe, ce qui voulait dire que le destinataire de celle-ci et ses proches avaient disparu à leur tour. Un mince carré de papier recouvert recto verso d'une écriture minuscule. Elle avait été écrite du camp de Drancy par un certain Robert Tartakovsky. J'ai appris qu'il était né à Odessa le 24 novembre 1902 et qu'il avait tenu une chronique d'art dans le journal *L'Illustration* avant la guerre. Je recopie sa lettre, ce mercredi 29 janvier 1997, cinquante-cinq ans après.

« 19 juin 1942. Vendredi.
Madame TARTAKOVSKY.
50 rue Godefroy-Cavaignac. Paris XIe

C'est avant-hier que j'ai été nommé pour le départ. J'étais moralement prêt depuis longtemps. Le camp est affolé, beaucoup pleurent, ils ont peur. La seule chose qui m'ennuie c'est que bien des vêtements que j'ai demandés depuis longtemps ne m'ont jamais été envoyés. J'ai fait partir un bon de colis vestimentaire : aurai-je à temps ce que j'attends? Je voudrais que ma mère ne s'inquiète pas, ni personne. Je ferai de mon mieux pour revenir sain et sauf. Si vous n'avez pas de nouvelles, ne vous inquiétez pas, au besoin adressez-vous à la Croix-Rouge. Réclamez au commissariat de Saint-Lambert (mairie du XVe) métro Vaugirard, les papiers saisis le 3/5. Inquiétez-vous de mon bulletin d'engagé volontaire matricule 10107, je ne sais s'il est au camp et si l'on me le rendra. Prière de porter une épreuve d'Albertine chez Mme BIANOVICI 14 rue Deguerry Paris XIe, elle est pour un camarade de chambre. Cette personne vous remettra mille deux cents francs. Prévenez-la par lettre pour être sûre de la trouver. Le sculpteur sera convoqué par les Trois Quartiers pour leur galerie d'art, c'est à la suite de mes démarches auprès de M. Gompel, interné à Drancy : si cette galerie voulait la totalité d'une édition, réserver de toute façon trois épreuves, soit qu'elles soient déjà vendues direz-vous, soit réservées pour l'éditeur. Vous pouvez si le moule le supporte *suivant ladite demande*, tirer deux épreuves de plus que vous ne pensiez. Je voudrais que vous ne soyez pas trop tourmentées. Je souhaite que Marthe parte en vacances. Mon silence ne signifiera jamais que cela va mal. Si ce mot vous parvient à temps envoyez le maximum de colis alimentaires, le poids sera d'ailleurs moins surveillé. Toute verrerie vous sera retournée, on nous interdit couteau, fourchette, lames rasoir, stylo etc. Aiguilles, même. Enfin j'essaierai de me débrouiller. Biscuits de soldats ou pain azyme souhaité. Dans ma carte de correspondance habituelle je parlais d'un camarade PERSIMAGI voir pour lui (Irène) l'ambassade de Suède, il est bien plus grand que moi et est en loques (voir Gattégno 13 rue Grande-Chaumière). Un ou deux bons savons, savon à raser, blaireau, une brosse à dents, une brosse à main souhaitées, tout se mêle dans mon esprit je voudrais mêler l'utile et tout ce que je voudrais vous dire d'autre. Nous partons près d'un millier. Il y a aussi des Aryens dans le camp. On les oblige à porter l'insigne juif. Hier le capitaine allemand Doncker est venu au camp, cela a été une fuite éperdue. Recommander à tous les amis d'aller, s'ils le peuvent, prendre l'air ailleurs car ici il faut laisser toute espérance. Je ne sais si nous serons dirigés sur Compiègne avant le grand départ. Je ne renvoie pas de linge, je laverai ici. La lâcheté du plus grand nombre m'effraie. Je me demande ce que cela fera quand nous serons là-bas. À l'occasion voyez Mme de Salzman, non pour lui demander quoi que ce soit mais à titre d'information. Peut-être aurai-je l'occasion de rencontrer celui que Jacqueline voulait faire libérer. Recommandez bien à ma mère la prudence, on arrête chaque jour, ici il y a de très jeunes 17, 18 et vieux, 72 ans. Jusqu'à lundi matin vous pouvez même à plusieurs reprises, envoyer ici des colis. Téléphonez à l'UGIF rue de la Bienfaisance ce n'est plus vrai ne vous laissez pas envoyer promener, les colis que vous porterez aux adresses habituelles seront acceptés. Je n'ai pas voulu vous alarmer dans mes lettres précédentes, tout en m'étonnant de ne pas recevoir ce qui devait constituer mon trousseau de voyage. J'ai l'intention de renvoyer ma montre à Marthe, peut-être mon stylo, je les confierai à B. pour cela. Dans colis vivres ne mettez rien de périssable, si cela doit me courir après. Photos sans correspondance dans colis vivres ou linge. Renverrai probablement livres sur l'art dont je vous remercie vivement. Je devrai sans doute passer l'hiver, je suis prêt, ne soyez pas inquiètes. Relisez mes cartes. Vous verrez ce que je demandais dès le premier jour et qui ne me revient pas à l'esprit. Laine à repriser. Écharpe. Stérogyl 15. Le sucre s'effrite boîte métal chez ma mère. Ce qui m'ennuie c'est que l'on tond à ras tous les déportés et que cela les identifie même plus que l'insigne. En cas de dispersion l'Armée du Salut reste le centre où je donnerai des nouvelles, prévenez Irène.

Samedi 20 juin 1942 — Mes très chères, j'ai reçu hier valise, merci pour tout. Je ne sais mais je crains un départ précipité. Aujourd'hui je dois être tondu à ras. À partir de ce soir les partants seront sans doute enfermés dans un corps de bâtiment spécial et surveillés de près, accompagnés même aux W-C par un gendarme. Une atmosphère sinistre plane sur tout le camp. Je ne pense pas que l'on passe par Compiègne. Je sais que nous allons recevoir trois jours de vivres pour la route. Je crains d'être parti avant tout autre colis, mais ne vous inquiétez pas, le dernier est très copieux et depuis mon arrivée ici j'avais mis de côté tout le chocolat, les conserves et le gros saucisson. Soyez tranquilles, vous serez dans ma pensée. Les disques de *Petrouchka*, je voulais les faire remettre à Marthe le 28/7, l'enregistrement est complet en 4 d. J'ai vu B. hier soir pour le remercier de ses attentions, il sait que j'ai défendu ici auprès de personnalités les œuvres du sculpteur. Suis heureux photos récentes que n'ai pas montrées à B., me suis excusé de ne pas lui offrir photo œuvre mais il lui est loisible de les demander ai-je dit. Regrette d'interrompre les éditions, si je reviens vite il sera temps encore. J'aime la sculpture de Leroy, aurais édité avec joie une réduction à la portée de mes moyens, même à q. q. heures du départ cela ne me quitte pas.

Je vous prie d'entourer ma mère sans négliger pour cela tout ce qui vous est personnel veux-je dire. Recommandez à Irène, qui est sa voisine, ce vœu. Tâchez de téléphoner au Dr André ABADI (si toujours à Paris). Dites à André que la personne dont il a déjà l'adresse, je l'ai rencontrée le 1er mai et que le 3 j'étais arrêté (est-ce seulement coïncidence?). Peut-être que ce mot désordonné vous étonnera mais l'ambiance est pénible, il est 6h30 du matin. Je dois renvoyer tout à l'heure ce que je n'emporte pas, je crains d'emmener trop. Si cela plaît aux fouilleurs on peut au dernier moment envoyer promener une valise si la place manque ou selon leur humeur (ce sont des membres de la Police des questions juives, doriotistes ou piloristes). Pourtant cela serait utile. Je vais faire un triage. Dès que vous n'aurez plus de mes nouvelles ne vous affolez pas, ne courez pas, attendez patiemment et avec confiance, ayez confiance en moi, dites bien à ma mère que je préfère être de ce voyage, j'ai vu partir (vous l'ai dit) pour Ailleurs. Ce qui me désole c'est d'être obligé de me séparer du stylo, de n'avoir pas le droit d'avoir du papier (une pensée ridicule me traverse l'esprit : les couteaux sont interdits et je n'ai pas une simple clef à sardines). Je ne crâne pas, n'en ai pas le goût, l'atmosphère : des malades et des infirmes ont été désignés pour le départ aussi, en nombre important. Je pense à Rd aussi, espère que définitivement à l'abri. J'avais chez Jacques Daumal toutes sortes de choses. Je pense que inutile peut-être sortir livres de chez moi maintenant, vous laisse libres. Pourvu que nous ayons beau temps pour la route! Occupez-vous des allocations de ma mère, faites-la aider par l'UGIF. J'espère que vous serez maintenant réconciliées avec Jacqueline, elle est surprenante mais chic fille au fond (le jour s'éclaire, il va faire une belle journée). J'ignore si vous avez reçu ma carte ordinaire, si j'aurai réponse avant départ. Je pense à ma mère, à vous. À tous mes camarades qui m'ont si affec- tueusement aidé à garder ma liberté. Merci de tout cœur à ceux qui m'ont permis de "passer l'hiver". Je vais laisser cette lettre en suspens. Il faut que je prépare mon sac. À tout à l'heure. Stylo et montre chez Marthe quoi que dise ma mère, cette note pour le cas où je ne pourrais continuer. Maman chérie, et vous mes très chères, je vous embrasse avec émotion. Soyez courageuses. À tout à l'heure, il est 7 heures. »

Deux dimanches du mois d'avril 1996, je suis allé dans les quartiers de l'est, ceux du Saint-Cœur-de-Marie et des Tourelles, pour essayer d'y retrouver la trace de Dora Bruder. Il me semblait que je devais le faire un dimanche où la ville est déserte, à marée basse.

Il ne reste plus rien du Saint-Cœur-de-Marie. Un bloc d'immeubles modernes se dresse à l'angle de la rue de Picpus et de la rue de la Gare-de-Reuilly. Une partie de ces immeubles portent les derniers numéros impairs de la rue de la Gare-de-Reuilly, là où était le mur ombragé d'arbres du pensionnat. Un peu plus loin, sur le même trottoir, et en face, côté numéros pairs, la rue n'a pas changé.

On a peine à croire qu'au 48 bis, dont les fenêtres donnaient sur le jardin du Saint-Cœur-de-Marie, les policiers sont venus arrêter neuf enfants et adolescents un matin de juillet 1942, tandis que Dora Bruder était internée aux Tourelles. C'est un immeuble de cinq étages aux briques claires. Deux fenêtres, à chacun des étages, encadrent deux fenêtres plus petites. À côté, le numéro 40 est un bâtiment grisâtre, en renfoncement. Devant lui, un muret de brique et une grille. En face, sur le même trottoir que bordait le mur du pensionnat, quelques autres petits immeubles sont demeurés tels qu'ils étaient. Au numéro 54, juste avant d'arriver rue de Picpus, il y avait un café tenu par une certaine Mlle Lenzi.

J'ai eu la certitude, brusquement, que le soir de sa fugue, Dora s'était éloignée du pensionnat en suivant cette rue de la Gare-de-Reuilly. Je la voyais, longeant le mur du pensionnat. Peut-être parce que le mot « gare » évoque la fugue.

J'ai marché dans le quartier et au bout d'un moment j'ai senti peser la tristesse d'autres dimanches, quand il fallait rentrer au pensionnat. J'étais sûr qu'elle descendait du métro à Nation. Elle retardait le moment où elle franchirait le porche et traverserait la cour. Elle se promenait encore un peu, au hasard, dans le quartier. Le soir tombait. L'avenue de Saint-Mandé est calme, bordée d'arbres. J'ai oublié s'il y a un terre-plein. On passe devant la bouche de métro ancienne de la station Picpus. Peut-être sortait-elle parfois de cette bouche de métro ? À droite, le boulevard de Picpus est plus froid et plus désolé que l'avenue de Saint-Mandé. Pas d'arbres, me semble-t-il. Mais la solitude de ces retours du dimanche soir.

Le boulevard Mortier est en pente. Il descend vers le sud. Pour le rejoindre, ce dimanche 28 avril 1996, j'ai suivi ce chemin : rue des Archives. Rue de Bretagne. Rue des Filles-du-Calvaire. Puis la montée de la rue Oberkampf, là où avait habité Hena.

À droite, l'échappée des arbres, le long de la rue des Pyrénées. Rue de Ménilmontant. Les blocs d'immeubles du 140 étaient déserts, sous le soleil. Dans la dernière partie de la rue Saint-Fargeau, j'avais l'impression de traverser un village abandonné.

Le boulevard Mortier est bordé de platanes. Là où il finit, juste avant la porte des Lilas, les bâtiments de la caserne des Tourelles existent toujours.

Le boulevard était désert, ce dimanche-là, et perdu dans un silence si profond que j'entendais le bruissement des platanes. Un haut mur entoure l'ancienne caserne des Tourelles et cache les bâtiments de celle-ci. J'ai longé ce mur. Une plaque y est fixée sur laquelle j'ai lu :

ZONE MILITAIRE
DÉFENSE DE FILMER
OU DE PHOTOGRAPHIER

Je me suis dit que plus personne ne se souvenait de rien. Derrière le mur s'étendait un no man's land, une zone de vide et d'oubli. Les vieux bâtiments des Tourelles n'avaient pas été détruits comme le pensionnat de la rue de Picpus, mais cela revenait au même.

Et pourtant, sous cette couche épaisse d'amnésie, on sentait bien quelque chose, de temps en temps, un écho lointain, étouffé, mais on aurait été incapable de dire quoi, précisément. C'était comme de se trouver au bord d'un champ magnétique, sans pendule pour en capter les ondes. Dans le doute et la mauvaise conscience, on avait affiché l'écriteau « Zone militaire. Défense de filmer ou de photographier ».

À vingt ans, dans un autre quartier de Paris, je me souviens d'avoir éprouvé cette même sensation de vide que devant le mur des Tourelles, sans savoir quelle en était la vraie raison.

J'avais une amie qui se faisait héberger dans divers appartements ou des maisons de campagne. Chaque fois, j'en profitais pour délester les bibliothèques d'ouvrages d'art et d'éditions numérotées, que j'allais revendre. Un jour, dans un appartement de la rue du Regard où nous étions seuls, j'ai volé une boîte à musique ancienne et après avoir fouillé les placards, plusieurs costumes très élégants, des chemises et une dizaine de paires de chaussures de grand luxe. J'ai cherché dans l'annuaire un brocanteur à qui revendre tous ces objets, et j'en ai trouvé un, rue des Jardins-Saint-Paul.

Cette rue part de la Seine, quai des Célestins, et rejoint la rue Charlemagne, près du lycée où j'avais passé les épreuves du baccalauréat, l'année précédente. Au pied de l'un des derniers immeubles, côté numéros pairs, juste avant la rue Charlemagne, un rideau de fer rouillé, à moitié levé. J'ai pénétré dans un entrepôt où étaient entassés des meubles, des vêtements, des ferrailles, des pièces détachées d'automobiles. Un homme d'une quarantaine d'années m'a reçu, et, avec beaucoup de gentillesse, m'a proposé d'aller chercher sur place la «marchandise», d'ici quelques jours.

En le quittant, j'ai suivi la rue des Jardins-Saint-Paul, vers la Seine. Tous les immeubles de la rue, côté des numéros impairs, avaient été rasés peu de temps auparavant. Et d'autres immeubles derrière eux. À leur emplacement, il ne restait plus qu'un terrain vague, lui-même cerné par des pans d'immeubles à moitié détruits. On distinguait encore, sur les murs à ciel ouvert, les papiers peints des anciennes chambres, les traces des conduits de cheminée. On aurait dit que le quartier avait subi un bombardement, et l'impression de vide était encore plus forte à cause de l'échappée de cette rue vers la Seine.

Le dimanche suivant, le brocanteur est venu boulevard Kellermann, près de la porte de Gentilly, chez le père de mon amie, où je lui avais donné rendez-vous afin de lui remettre la «marchandise». Il a chargé dans sa voiture la boîte à musique, les costumes, les chemises, les chaussures. Il m'a donné sept cents francs de l'époque, pour le tout.

Il m'a proposé d'aller boire un verre. Nous nous sommes arrêtés devant l'un des deux cafés, en face du stade Charlety.

Il m'a demandé ce que je faisais dans la vie. Je ne savais pas très bien quoi lui répondre. J'ai fini par lui dire que j'avais abandonné mes études. À mon tour, je lui ai posé des questions. Son cousin et associé tenait l'entrepôt de la rue des Jardins-Saint-Paul. Lui, il s'occupait d'un autre local du côté du marché aux Puces, porte de Clignancourt. D'ailleurs, il était né dans ce quartier de la porte de Clignancourt, d'une famille de juifs polonais.

C'est moi qui ai commencé à lui parler de la guerre et de l'Occupation. Il avait dix-huit ans, à cette époque-là. Il se souvenait qu'un samedi la police avait fait une descente pour arrêter des juifs au marché aux Puces de Saint-Ouen et qu'il avait échappé à la rafle par miracle. Ce qui l'avait surpris, c'était que parmi les inspecteurs il y avait une femme.

Je lui ai parlé du terrain vague que j'avais remarqué les samedis où ma mère m'emmenait aux Puces, et qui s'étendait au pied des blocs d'immeubles du boulevard Ney. Il avait habité à cet endroit avec sa famille. Rue Élisabeth-Rolland. Il était étonné que je note le nom de la rue. Un quartier que l'on appelait la Plaine. On avait tout détruit après la guerre et maintenant c'était un terrain de sport.

En lui parlant, je pensais à mon père que je n'avais plus revu depuis longtemps. À dix-neuf ans, au même âge que moi, avant de se perdre dans des rêves de haute finance, il vivait de petits trafics aux portes de Paris : il franchissait en fraude les octrois avec des bidons d'essence qu'il revendait à des garagistes, des boissons, et d'autres marchandises. Tout cela sans payer la taxe de l'octroi.

Au moment de nous quitter, il m'a dit d'un ton amical que si j'avais encore quelques objets à lui proposer, je pouvais le contacter rue des Jardins-Saint-Paul. Et il m'a donné cent francs de plus, touché sans doute par mon air candide de bon jeune homme.

J'ai oublié son visage. La seule chose dont je me souvienne, c'est son nom. Il aurait pu très bien avoir connu Dora Bruder, du côté de la porte de Clignancourt et de la Plaine. Ils habitaient le même quartier et ils avaient le même âge. Peut-être en savait-il long sur les fugues de Dora... Il y a ainsi des hasards, des rencontres, des coïncidences que l'on ignorera toujours... Je pensais à cela, cet automne, en marchant de nouveau dans le quartier de la rue des Jardins-Saint-Paul. Le dépôt et son rideau de fer rouillé n'existent plus et les immeubles voisins ont été restaurés. De nouveau je ressentais un vide. Et je comprenais pourquoi. La plupart des immeubles du quartier avaient été détruits après la guerre, d'une manière méthodique, selon une décision administrative. Et l'on avait même donné un nom et un chiffre à cette zone qu'il fallait raser : l'îlot 16. J'ai retrouvé des photos, l'une de la rue des Jardins-Saint-Paul, quand les maisons des numéros impairs existaient encore. Une autre photo d'immeubles à moitié détruits, à côté de l'église Saint-Gervais et autour de l'hôtel de Sens. Une autre, d'un terrain vague au bord de la Seine que les gens traversaient entre deux trottoirs, désormais inutiles : tout ce qui restait de la rue des Nonnains-d'Hyères. Et l'on avait construit, là-dessus, des rangées d'immeubles, modifiant quelquefois l'ancien tracé des rues.

Les façades étaient rectilignes, les fenêtres carrées, le béton de la couleur de l'amnésie. Les lampadaires proje-taient une lumière froide. De temps en temps, un banc, un square, des arbres, accessoires d'un décor, feuilles artifi-cielles. On ne s'était pas contenté, comme au mur de la caserne des Tourelles, de fixer un panneau : «Zone mili-taire. Défense de filmer et de photographier.» On avait tout anéanti pour construire une sorte de village suisse dont on ne pouvait plus mettre en doute la neutralité.

Les lambeaux de papiers peints que j'avais vus encore il y a trente ans rue des Jardins-Saint-Paul, c'étaient les traces de chambres où l'on avait habité jadis – les chambres où vivaient ceux et celles de l'âge de Dora que les policiers étaient venus chercher un jour de juillet 1942. La liste de leurs noms s'accompagne toujours des mêmes noms de rues. Et les numéros des immeubles et les noms des rues ne correspondent plus à rien.

À dix-sept ans, les Tourelles n'étaient pour moi qu'un nom que j'avais découvert à la fin du livre de Jean Genet, *Miracle de la Rose*. Il y indiquait les lieux où il avait écrit ce livre : LA SANTÉ. PRISON DES TOURELLES 1943. Lui aussi avait été enfermé là, en qualité de droit commun, peu de temps après le départ de Dora Bruder, et ils auraient pu se croiser. *Miracle de la Rose* n'était pas seulement imprégné des souvenirs de la colonie pénitentiaire de Mettray – l'une de ces maisons de redressement pour l'enfance où l'on voulait envoyer Dora – mais aussi, il me semble maintenant, par la Santé et les Tourelles.

De ce livre, je connaissais des phrases par cœur. L'une d'entre elles me revient en mémoire : «Cet enfant m'apprenait que le vrai fond de l'argot parisien, c'est la tendresse attristée.» Cette phrase m'évoque si bien Dora Bruder que j'ai le sentiment de l'avoir connue. On avait imposé des étoiles jaunes à des enfants aux noms polonais, russes, roumains, et qui étaient si parisiens qu'ils se confondaient avec les façades des immeubles, les trottoirs, les infinies nuances de gris qui n'existent qu'à Paris. Comme Dora Bruder, ils parlaient tous avec l'accent de Paris, en employant des mots d'argot dont Jean Genet avait senti la tendresse attristée.

Aux Tourelles, quand Dora y était prisonnière, on pouvait recevoir des colis, et aussi des visites le jeudi et le dimanche. Et assister à la messe, le mardi. Les gendarmes faisaient l'appel à huit heures du matin. Les détenues se tenaient au garde-à-vous, au pied de leur lit. Au déjeuner, dans le réfectoire, on ne mangeait que des choux. La promenade dans la cour de la caserne. Le souper à six heures du soir. De nouveau l'appel. Tous les quinze jours, les douches, où l'on allait deux par deux, accompagnées par les gendarmes. Coups de sifflet. Attente. Pour les visites, il fallait écrire une lettre au directeur de la prison et l'on ne savait pas s'il donnerait son autorisation.

Les visites se déroulaient au début de l'après-midi, dans le réfectoire. Les gendarmes fouillaient les sacs de ceux qui venaient. Ils ouvraient les paquets. Souvent les visites étaient supprimées, sans raison, et les détenues ne l'apprenaient qu'une heure à l'avance.

Parmi les femmes que Dora a pu connaître aux Tourelles se trouvaient celles que les Allemands appelaient « amies des juifs » : une dizaine de Françaises « aryennes » qui eurent le courage, en juin, le premier jour où les juifs devaient porter l'étoile jaune, de la porter elles aussi en signe de solidarité, mais de manière fantaisiste et insolente pour les autorités d'occupation. L'une avait attaché une étoile au cou de son chien. Une autre y avait brodé : PAPOU. Une autre : JENNY. Une autre avait accroché huit étoiles à sa ceinture et sur chacune figurait une lettre de VICTOIRE. Toutes furent appréhendées dans la rue et conduites au commissariat le plus proche. Puis au dépôt de la Préfecture de police. Puis aux Tourelles. Puis, le 13 août, au camp de Drancy. Ces «amies des juifs» exerçaient les professions suivantes : dactylos. Papetière. Marchande de journaux. Femme de ménage. Employée des PTT. Étudiantes.

Au mois d'août, les arrestations furent de plus en plus nombreuses. Les femmes ne passaient même plus par le Dépôt et elles étaient conduites directement aux Tourelles. Les dortoirs de vingt personnes en contenaient désormais le double. Dans cette promiscuité, la chaleur était étouffante et l'angoisse montait. On comprenait que les Tourelles n'étaient qu'une gare de triage où l'on risquait chaque jour d'être emportée vers une destination inconnue.

Déjà, deux groupes de juives au nombre d'une centaine étaient parties pour le camp de Drancy le 19 et le 27 juillet. Parmi elles se trouvait Raca Israelowicz, de nationalité polonaise, qui avait dix-huit ans et qui était arrivée aux Tourelles le même jour que Dora, et peut-être dans la même voiture cellulaire. Et qui fut sans doute l'une de ses voisines de dortoir.

Le soir du 12 août, le bruit se répandit aux Tourelles que toutes les juives et celles que l'on appelait les «amies des juifs» devaient partir le lendemain pour le camp de Drancy.

Le 13 au matin, à dix heures, l'appel interminable commença dans la cour de la caserne, sous les marronniers. On déjeuna une dernière fois sous les marronniers. Une ration misérable qui vous laissait affamée.

Les autobus arrivèrent. Il y en avait – paraît-il – en quantité suffisante pour que chacune des prisonnières eût sa place assise. Dora comme toutes les autres. C'était un jeudi, le jour des visites.

Le convoi s'ébranla. Il était entouré de policiers motocyclistes casqués. Il suivit le chemin que l'on prend aujourd'hui pour aller à l'aéroport de Roissy. Plus de cinquante ans ont passé. On a construit une autoroute, rasé des pavillons, bouleversé le paysage de cette banlieue nord-est pour la rendre, comme l'ancien îlot 16, aussi neutre et grise que possible. Mais sur le trajet vers l'aéroport, des plaques indicatrices bleues portent encore les noms anciens : DRANCY ou ROMAINVILLE. Et en bordure même de l'autoroute, du côté de la porte de Bagnolet, est échouée une épave qui date de ce temps-là, un hangar de bois, que l'on a oublié et sur lequel est inscrit ce nom bien visible : DURE-MORD.

À Drancy, dans la cohue, Dora retrouva son père, interné là depuis mars. En ce mois d'août, comme aux Tourelles, comme au dépôt de la Préfecture de police, le camp se remplissait chaque jour d'un flot de plus en plus nombreux d'hommes et de femmes. Les uns arrivaient de zone libre par milliers dans les trains de marchandises. Des centaines et des centaines de femmes, que l'on avait séparées de leurs enfants, venaient des camps de Pithiviers et de Beaune-la-Rolande. Et quatre mille enfants arrivèrent à leur tour, le 15 août et les jours suivants, après qu'on eut déporté leurs mères. Les noms de beaucoup d'entre eux, qui avaient été écrits à la hâte sur leurs vêtements, au départ de Pithiviers et de Beaune-la-Rolande, n'étaient plus lisibles. Enfant sans identité n° 122. Enfant sans identité n° 146. Petite fille âgée de trois ans. Prénommée Monique. Sans identité.

À cause du trop-plein du camp et en prévision des convois qui viendraient de zone libre, les autorités décidèrent d'envoyer de Drancy au camp de Pithiviers les juifs de nationalité française, le 2 et le 5 septembre. Les quatre filles qui étaient arrivées le même jour que Dora aux Tourelles et qui avaient toutes seize ou dix-sept ans : Claudine Winerbett, Zélie Strohlitz, Marthe Nachmanowicz et Yvonne Pitoun, firent partie de ce convoi d'environ mille cinq cents juifs français. Sans doute avaient-ils l'illusion qu'ils seraient protégés par leur nationalité. Dora, qui était française, aurait pu elle aussi quitter Drancy avec eux. Elle ne le fit pas pour une raison qu'il est facile de deviner : elle préféra rester avec son père.

Tous les deux, le père et la fille, quittèrent Drancy le 18 septembre, avec mille autres hommes et femmes, dans un convoi pour Auschwitz.

La mère de Dora, Cécile Bruder, fut arrêtée le 16 juillet 1942, le jour de la grande rafle, et internée à Drancy. Elle y retrouva son mari pour quelques jours, alors que leur fille était aux Tourelles. Cécile Bruder fut libérée de Drancy le 23 juillet, sans doute parce qu'elle était née à Budapest et que les autorités n'avaient pas encore donné l'ordre de déporter les juifs originaires de Hongrie.

A-t-elle pu rendre visite à Dora aux Tourelles un jeudi ou un dimanche de cet été 1942 ? Elle fut de nouveau internée au camp de Drancy le 9 janvier 1943, et elle partit dans le convoi du 11 février 1943 pour Auschwitz, cinq mois après son mari et sa fille.

Le samedi 19 septembre, le lendemain du départ de Dora et de son père, les autorités d'occupation imposèrent un couvre-feu en représailles à un attentat qui avait été commis au cinéma Rex. Personne n'avait le droit de sortir, de trois heures de l'après-midi jusqu'au lendemain matin. La ville était déserte, comme pour marquer l'absence de Dora.

Depuis, le Paris où j'ai tenté de retrouver sa trace est demeuré aussi désert et silencieux que ce jour-là. Je marche à travers les rues vides. Pour moi elles le restent, même le soir, à l'heure des embouteillages, quand les gens se pressent vers les bouches de métro. Je ne peux pas m'empêcher de penser à elle et de sentir un écho de sa présence dans certains quartiers. L'autre soir, c'était près de la gare du Nord.

J'ignorerai toujours à quoi elle passait ses journées, où elle se cachait, en compagnie de qui elle se trouvait pendant les mois d'hiver de sa première fugue et au cours des quelques semaines de printemps où elle s'est échappée à nouveau. C'est là son secret. Un pauvre et précieux secret que les bourreaux, les ordonnances, les autorités dites d'occupation, le Dépôt, les casernes, les camps, l'Histoire, le temps – tout ce qui vous souille et vous détruit – n'auront pas pu lui voler.

Arrêt
sur
lecture 3

Avec *Dora Bruder*, Patrick Modiano s'inscrit dans la lignée des écrivains qui mettent la littérature au service de la mémoire. La déportation des Juifs et la Shoah*, c'est-à-dire leur extermination par les nazis, sont en effet au cœur de cette œuvre.

La mémoire de la Shoah

Avant Patrick Modiano, d'autres auteurs ont entrepris d'aborder cette question, conscients du pouvoir particulier de la littérature qui donne une vie individuelle à ce que l'histoire traite de façon plus générale et plus abstraite. L'écriture littéraire trouve alors une nécessité singulière car elle tente d'exprimer la réalité vécue.

Une expérience limite

Dans *Si c'est un homme*, l'écrivain italien Primo Levi tente de rendre compte de l'expérience de l'existence concentrationnaire de manière intérieure, tout en sachant très bien que seuls les rescapés peuvent saisir et comprendre l'horrible vérité de la déportation. Cette difficulté se retrouve dans l'œuvre de Jorge Semprun, qui, dans *L'Écriture ou la vie*, déclare qu'il lui a fallu toute une vie pour parvenir à aborder directement ce sujet inexprimable entre tous. Patrick Modiano se situe sur un autre plan : né après la guerre, il n'a pas connu la déportation à titre personnel, ni à travers sa famille. Pourtant, son origine, la figure ambiguë de son père et les nombreux liens symboliques qu'il évoque dans *Dora Bruder*, comme ses relations avec le docteur Ferdière, ami de Robert Desnos, ou son admiration pour les écrivains Friedo Lampe, Felix Hartlaub et Roger Gilbert-Lecomte, le rendent éminemment sensible au sort des Juifs sous l'Occupation. Cet ensemble de raisons explique en grande partie sa décision d'enquêter et d'écrire un livre après avoir découvert l'avis de recherche lancé le 31 décembre 1941 par les parents de Dora. *Dora Bruder* est un récit de la Shoah qui ne traite pas de l'expérience concentrationnaire, puisqu'il s'interrompt avec la déportation de la jeune fille et de son père le 18 septembre 1942 et ne fait aucune mention de leur sort à Auschwitz, faute d'avoir pu trouver le moindre document permettant de savoir s'ils ont survécu au transport vers le camp, s'ils ont été dirigés dès leur arrivée vers les chambres à gaz, ou s'ils sont morts un peu plus tard. Le livre de Patrick Modiano n'est pas moins un effort de mémoire, qui, à l'occasion du cas particulier de Dora, tente d'exprimer l'angoisse et la détresse des Juifs persécutés par la Gestapo et la police.

Une écriture du sauvetage et de la piété

Contrairement à Primo Levi ou à Jorge Semprun, Patrick Modiano examine ce qui précède la déportation : il tente de reconstruire l'existence d'une jeune Juive dans le Paris des rafles et des arrestations, jusqu'au moment où le piège se referme définitivement sur elle. Cette tentative obstinée fait l'originalité de son récit, dont on peut dire qu'il est sans précédent. *Dora Bruder* explore la mémoire d'une époque et d'un destin que Patrick Modiano n'avait jamais abordé de cette façon dans ses autres livres. Certes, *Voyage de noces* raconte l'histoire d'une jeune Juive qui ressemble beaucoup à Dora, mais Ingrid Teyrsen reste un personnage de fiction à travers lequel l'auteur tente de percer le mystère de la jeune fugueuse de 1941. Même s'il ne traite pas du transport des déportés, de leur vie et de leur mort dans les camps, Patrick Modiano tente un sauvetage en écriture en s'efforçant d'arracher Dora Bruder à l'oubli. Autour d'elle se lèvent alors d'autres vies menacées, celles de ses compagnes de détention au camp des Tourelles : Claudette Bloch, Josette Delimal, Tamara Isserlis, Ida Levine dont il cite la dernière lettre jetée du train qui l'emportait, une certaine Hena dont il ne connaît presque rien, et enfin Annette Zelman, dont il reconstitue l'histoire en quelques pages. La personne et le sort de cette jeune femme inscrivent un double en variation dans la trame principale de *Dora Bruder* et ne sont pas sans faire songer au personnage d'Ingrid dans *Voyage de noces*. La piété de cette tentative se manifeste de façon particulièrement émouvante dans la dernière page, lorsque l'auteur voit dans les fugues de Dora « un pauvre et précieux secret que les bourreaux, les ordonnances, les autorités dites d'occupation, le Dépôt, les casernes, les camps, l'Histoire, le temps – tout ce qui vous souille et vous détruit – n'auront pas pu lui voler » (p. 167).

Une poétique de la reconstitution

Pour lutter contre l'amnésie, Patrick Modiano travaille de manière inattendue : le romancier collectionne les vieux journaux, les bottins, les annuaires. Il y puise des noms, des faits, des dates qui deviendront les ferments de son univers romanesque. D'autres écrivains préoccupés à titre personnel par le sort des Juifs pendant la Seconde Guerre mondiale ont également tenté de reconstruire une mémoire indisponible à partir de documents officiels, comme l'état civil, ou privés, comme des photographies : c'est notamment le cas de Georges Perec, dans *W ou le Souvenir d'enfance*, qui cherche à percer l'amnésie dont sa propre enfance est l'objet et raconte son odyssée d'enfant caché en « zone libre », à Villard-de-Lans.

Les voix restituées

Dans *Dora Bruder*, comme dans tous ses autres romans, Patrick Modiano fait entendre des voix qui se sont tues et leur offre, dans l'espace toujours renouvelé de la fiction romanesque, une chance de renaître. La rêverie du romancier est créatrice : elle ressuscite les êtres oubliés de la mémoire, abolit le temps et donne un avenir au passé. Celui-ci n'est plus recouvert de « cette couche épaisse d'amnésie » contre laquelle lutte l'écriture, mais répond à « un écho lointain, étouffé » (p. 156). Le livre de Patrick Modiano devient la chambre où cet écho peut se libérer partiellement des puissances d'amnésie et résonner dans un récit. Redevenu vivant, le secret des années d'Occupation trouve alors place dans le présent, comme par exemple au cours de la promenade qui conduit le narrateur devant l'ancien bâtiment des Tourelles, boulevard Mortier, le dimanche 28 avril 1996. De la même manière, en introduisant des fragments de biographies* et des lettres dans sa propre écriture, l'auteur restitue la voix des disparus et leur donne une seconde vie pour le lecteur. Il se fait copiste de la mémoire, notamment en reproduisant intégralement la dernière lettre d'un certain Robert Tartakovsky, déporté par le même convoi que cinq des compagnes de Dora aux Tourelles. L'inscription de cette lettre au sein d'une œuvre littéraire permet au lecteur d'en saisir la noblesse et la beauté avec plus de puissance que dans une simple étude historique et lui donne le statut mérité de véritable texte poétique.

Un passé discontinu

Par le jeu d'une narration* nécessairement discontinue, Patrick Modiano met aussi en évidence les défaillances de la mémoire et l'impossibilité de retrouver pleinement le passé. En reconstituant des identités que l'état civil ne garantit plus, l'auteur tente en effet d'approcher au plus près ce que furent les dernières semaines de Dora : faute de pouvoir en exprimer directement la matière vécue, il n'a d'autre recours que d'aller et venir sans cesse d'un moment à l'autre du dernier printemps et du dernier été de la jeune fille, recueillant au passage des fragments d'existences qui ont pu croiser la sienne. De même, l'oscillation incessante du récit entre 1942 et 1996 mesure le vide et la distance temporelle qui empêchent de rassembler entièrement le fil des derniers mois dramatiques de Dora. Cette oscillation passe d'ailleurs par d'autres périodes, généralement l'année 1965, où l'auteur, âgé de vingt ans, alors qu'il ne connaissait encore rien de Dora, a cependant éprouvé « cette même sensation de vide que devant le mur des Tourelles, sans savoir quelle en était la vraie raison » (p. 157).

L'urgence de la mémoire

Quelles que soient ses défaillances, la mémoire est cependant essentielle et doit toujours être, sinon reconstruite intégralement, du moins recherchée avec la plus grande précision possible. L'étrange angoisse du jeune homme qu'a été Patrick Modiano, à l'époque où il fréquentait le quartier Clignancourt, montre à elle seule toute l'importance de son entreprise, aussi bien pour lui-même que pour ses lecteurs, et, d'une manière générale, pour la société tout entière. L'amnésie qui recouvre le passé est en effet la marque négative d'une mémoire qui appelle et dont seule la restitution peut délivrer les hommes du présent et leur donner un avenir. Ce n'est nullement par hasard que le narrateur évoque les « événements d'Algérie » au début de son livre. La mise en relation allusive des rafles de l'Occupation et des exactions commises à Paris comme en Algérie entre 1954 et 1962, par la police et l'armée françaises, révèle le poids du passé sur notre existence actuelle : on a souvent mis en parallèle l'idéalisation mensongère d'une France résistante avec le silence gêné dont la guerre d'Algérie a fait l'objet jusqu'à ces dernières années. Le « devoir de mémoire », selon l'expression de Primo Levi, n'est pas seulement un acte de piété ; il permet aussi de méditer le passé afin de ne pas le reproduire. De nombreux acteurs horrifiés de la guerre d'Algérie n'ont-ils pas souvent déclaré que la torture employée par certains militaires français leur rappelait les méthodes de la Gestapo ? N'oubliez pas non plus, amis lecteurs, que Patrick Modiano est le premier écrivain français à avoir abordé de front le problème de l'Occupation et de ses ambiguïtés dans ses trois premiers romans, certes à titre purement personnel, mais d'une manière significative qui a aussitôt trouvé son écho dans la société française des années 1970 et dans la recherche historique consacrée aux années noires de la collaboration.

Les questions finales que se pose le narrateur et le sentiment de vide qui continue de l'habiter expriment, certes en creux, mais non moins intensément, l'urgence de la mémoire sans laquelle notre identité demeure en souffrance, même si nous n'avons apparemment aucun lien personnel avec la Shoah ni avec le sort de Dora Bruder. Malgré le temps écoulé, une présence est là, qui nous hante et se manifeste parfois à nous, comme elle envahit le narrateur au cours de ses déambulations à travers Paris (p. 167) :

> Je ne peux pas m'empêcher de penser à elle et de sentir un écho de sa présence dans certains quartiers. L'autre soir, c'était près de la gare du Nord.

Patrick Modiano a beau éprouver le sentiment d'un échec, il a pourtant su sauver de l'oubli, avec une rare justesse humaine et poétique, l'émouvante et fragile figure de Dora Bruder. Désormais, grâce à lui, la jeune fugueuse et ses parents ne seront plus seulement des ombres et des noms sans substance, portés sur quelques documents, mais des êtres de chair et de sang qui ont vécu, souffert et lutté avec leurs faibles moyens. Au terme de l'enquête inachevée qui nous est transmise comme un legs aussi infime et précieux que les heures volées par la jeune fille au cours de ses fugues, nous ne pouvons manquer de penser à ces vers de Primo Levi, extraits de *À une heure incertaine* :

« N'oubliez pas que cela fut,
Non, ne l'oubliez pas :
Gravez ces mots dans votre cœur.
Pensez-y chez vous, dans la rue,
En vous couchant, en vous levant ;
Répétez-les à vos enfants. »

Pour une lecture

Introduction

À la fin du livre (depuis « Le samedi 19 septembre » à « n'auront pas pu lui voler », p. 167), le narrateur dresse un ultime bilan de son enquête, qui le ramène à l'incertitude initiale : passé et présent se rejoignent une dernière fois dans un Paris désert où se perd la trace de Dora. Pourtant, cet échec apparent n'en est pas un. Le narrateur demeure le gardien d'une fragile mémoire. Son ignorance change alors de sens pour devenir la plus précieuse des libertés : celle de l'imagination rendant hommage aux heures de fugue pendant lesquelles Dora a brièvement pu échapper à ses bourreaux.

1 – L'échec et la mémoire

a) Commémoration de la trace perdue :
Le récit vient d'atteindre une région du temps où la trace de Dora se perd définitivement, aucun document postérieur à sa déportation ne permettant de connaître son existence à Auschwitz, avant son anéantissement. Plutôt que d'explorer inutilement des possibilités morbides, le narrateur note un dernier fait qui prend à ses yeux la valeur d'une commémoration muette à laquelle il donne voix dans l'écriture : le lendemain de la déportation de Dora et de son père, la ville sous couvre-feu est entièrement déserte et semble ainsi marquer l'absence de la jeune fille. Cette précision peut se comprendre comme un acte de pudeur et de piété dont le style dépouillé à l'extrême confine au silence.

b) Le dernier gardien :
Le narrateur poursuit cette ultime évocation en avouant l'échec de sa tentative et la reprise de son errance à travers Paris. Cependant, le vide où il s'avance porte la marque de Dora : pour lui, même aux heures de la plus grande affluence, la ville contemporaine demeure aussi déserte qu'elle l'était sous la contrainte allemande le 19 septembre 1942. C'est en cela que le narrateur est le dernier gardien d'une mémoire effacée, qui pour lui seul se fait écho fantomatique, la présence de Dora continuant de se manifester à lui en des lieux symboliques du départ comme la gare du Nord. On songe en lisant ces lignes au narrateur des *Confessions d'un mangeur d'opium anglais* de l'écrivain romantique Thomas De Quincey, longuement cité par Baudelaire dans *Les Paradis artificiels*, qui bien des années après l'avoir connue cherche vainement dans les rues de Londres les traces d'une jeune fille rencontrée dans sa jeunesse.

2 – L'inaliénable en écriture

a) Les fugues énigmatiques :
Le narrateur achève son évocation par un constat d'ignorance : il ne

saura jamais ce que furent les journées de Dora au cours de ses fugues. Contrairement à Jean B, le narrateur de *Voyage de noces*, il ne peut reconstruire les itinéraires et les occupations de la jeune fille, pas plus qu'il ne peut percer le mystère de ses fréquentations hypothétiques. Mais cette ignorance n'est pas entièrement négative, car elle enveloppe aussi le secret préservé de Dora Bruder. Que ces heures clandestines demeurent insaisissables signifie a posteriori une ultime preuve de résistance et de liberté que toute la haine des bourreaux ne saurait abolir.

b) Une fin musicale :
Fidèle à l'écriture fuguée qui lui est familière et qui se développe particulièrement dans *Dora Bruder*, Patrick Modiano achève son livre par une ultime reprise des thèmes auxquels il ajoute brièvement un dernier motif : celui d'une vie secrète que son mystère, aussi éphémère et fragile qu'il soit, protège à jamais. Cette manifestation finale de Dora est aussi l'occasion de rassembler les bords du temps et les personnes dans une adresse au lecteur, grâce à l'usage du pronom personnel « vous », pris dans un sens collectif. Le texte passe ainsi, de façon toute musicale, de « personne » à « vous », par l'intermédiaire de « je » et de « elle ». De la même façon, il glisse du passé simple au futur antérieur en passant par l'imparfait, le passé composé et le présent.

Conclusion

Dans ce passage final, Patrick Modiano prend congé de son lecteur de manière admirable : le silence et le blanc de la page vide ne sont-ils pas comme un dernier portrait de Dora, qui se devine aux lisières de l'enquête ? Le narrateur ne se contente pas d'affirmer que pour lui la présence spectrale de la jeune fille demeure vivante et familière. Il nous transmet également son legs, le « pauvre et précieux secret » de ses fugues, ou encore l'insaisissable mémoire de son être individuel opposé pour toujours à la puissance impersonnelle de ses bourreaux.

à vous...

Lecture cursive

1 – Relevez dans les dernières pages de *Dora Bruder* des éléments pouvant corroborer ces propos de Pierre Seghers : « À Paris, Pétain et les siens ont livré aux nazis, sans distinction d'âge, de sexe, ni d'origine, tous les Juifs raflés, quinze mille environ, et les ont parqués au Vélodrome d'Hiver. Quatre mille enfants juifs attendront quinze jours, prisonniers dans un train, sur une voie de garage. Laval donnera l'ordre de les déporter également. Les chiens, les kapos, les chambres à gaz, les fours crématoires les attendent » (Pierre Seghers, *La Résistance et ses poètes*, Seghers, 2004, p. 186.)

2 – À qui l'auteur de ce texte attribue-t-il la responsabilité de ces rafles et de la déportation qui s'ensuit ?

Vocabulaire

1 – a – Que signifie le terme *antisémitisme* ?
b – Rencontre-t-on encore aujourd'hui des actes antisémites ? Répondez à cette question en prenant appui sur des faits d'actualité.

2 – Que nomme-t-on la *Shoah* ?

Expression écrite

1 – Sujet d'imagination : Avant de quitter le camp de Drancy pour Auschwitz, Dora Bruder a la possibilité d'écrire une lettre qu'elle adresse à une amie qui poursuit sa scolarité au Saint-Cœur-de-Marie. Rédigez cette lettre en accordant une attention particulière à la situation d'énonciation : identité de l'émetteur, lieu et moment de rédaction de la lettre, nom et adresse du destinataire, etc.

2 – Sujet de réflexion : En faisant appel à vos propres convictions et à vos lectures, dites comment vous comprenez cette phrase de Pierre Seghers, extraite de l'ouvrage intitulé *La Résistance et ses poètes* :

«Jeunes gens qui me lirez peut-être, pensez-y : les bûchers ne sont jamais éteints et le feu pour vous peut reprendre.»

<u>Atelier d'écriture</u>
1 – Nouvelles en trois lignes
Au début du XXe siècle, un grand journal d'information, *Le Matin*, publiait régulièrement des «nouvelles en trois lignes», récits miniaturisés aux allures de faits divers*. Les plus célèbres d'entre elles furent rédigées par le journaliste Félix Fénéon, qui opérait un véritable travail de création littéraire à partir de sujets empruntés à l'actualité. En voici trois exemples (*Nouvelles en trois lignes*, Le Livre de poche, coll. «Biblio», 1998) :
• «Le Dunkerquois Scheid a tiré trois fois sur sa femme. Comme il la manquait toujours, il visa sa belle-mère : le coup porta.»
• «Se penchant à la portière, un voyageur un peu lourd fit basculer son fiacre, à Ménilmontant, et se fracassa la tête.»
• «En se le grattant avec un revolver à détente trop douce, M. Ed. B… s'est enlevé le bout du nez au commissariat Vivienne.»
Sujet 1 : Développez l'une des «nouvelles en trois lignes» proposées ci-dessus de manière à obtenir un véritable récit.
Sujet 2 : Rédigez des «nouvelles en trois lignes», à la manière de Félix Fénéon, en vous inspirant de faits divers trouvés dans les journaux.

2 – Vraies fausses nouvelles
L'activité suivante est à la fois un jeu de groupe et un exercice littéraire. Vous la pratiquerez en classe, ou en dehors du temps scolaire, en constituant des équipes de deux élèves.
Le jeu consiste à présenter deux faits divers – l'un réel, l'autre fictif – à l'équipe adverse, qui devra tenter de distinguer le fait divers réel du fait divers inventé. Pour jouer, chaque équipe devra donc lire aux autres équipes deux faits divers :
– l'un de ces faits divers, préalablement découpé dans un journal et recopié, sera parfaitement authentique;

– l'autre, entièrement inventé et rédigé par l'équipe, sera fictif mais présenté comme un fait divers réel.

L'équipe qui joue marque un point chaque fois que ses adversaires ne parviennent pas à identifier le fait divers réel et le fait divers inventé. Pour y parvenir, nous vous conseillons :

a – de trouver dans les journaux des faits divers inattendus, improbables ou singuliers (des faits divers aux allures de fiction) que vos adversaires prendront pour une invention de votre part;

b – d'inventer et de rédiger des faits divers qui paraîtront plus vrais que les vrais, afin d'induire les autres en erreur.

L'équipe qui écoute devra développer des talents d'enquêteur afin de distinguer le fait divers réel et le fait divers falsifié. Cela passe à la fois par un relevé d'indices textuels et par une attention portée aux plus infimes détails. Il n'est pas rare, par exemple, qu'un mot mal employé ou une idée trop appuyée trahissent les auteurs d'un fait divers inventé.

Bilans

La structure du roman

Un refus de la composition linéaire

La plupart des romans de Patrick Modiano se distinguent des ouvrages classiques (ceux de Balzac ou de Zola, par exemple) par la volonté manifeste de briser les lois de la chronologie, le refus de narrer les événements dans l'ordre où ils se présentent. *La Ronde de nuit*, par exemple, qui relate les tribulations d'un agent double sous l'Occupation, semble n'avoir ni commencement ni fin. L'absence de division en chapitres, l'apparente incohérence de la narration*, l'incessante reprise des mêmes thèmes en font une sorte de logorrhée, intarissable flux de paroles qui révèle les troubles du narrateur : double agent double, qui trahit les résistants avec les collaborateurs et les collaborateurs avec les résistants, Swing Troubadour-Lamballe (c'est ainsi que Patrick Modiano nomme son personnage) est un être déchiré que les événements entraînent dans un tourbillon. Le romancier suggère la folie d'un homme et d'une époque par un volontaire dérèglement des procédés narratifs.

Les choses ne vont pas aussi loin dans *Dora Bruder* qui n'est pas un roman mais un livre consacré à une personne réelle. Il suffit néanmoins d'en lire les premières pages pour sentir que Patrick Modiano renonce à narrer les événements de façon strictement chronologique. Le récit ne commence pas avec la naissance de Dora pour s'achever avec sa probable disparition dans les charniers de l'histoire. Les faits relatés suivent le fil d'une enquête qui s'avère à la fois incertaine et aléatoire : le narrateur revient fréquemment sur les mêmes lieux (le boulevard Ornano, le pensionnat du Saint Cœur de Marie, le camp de Drancy), formule les mêmes interrogations, explore les mêmes documents. Le déroulement de son enquête est également entrecoupé par l'afflux des souvenirs : le récit de la fugue de Dora du 14 décembre, de son emprisonnement au camp des Tourelles, puis de son transfert à celui de Drancy, se mêle par exemple à l'évocation de la propre fugue du narrateur, au souvenir de sa mère qui « jouait une pièce au théâtre Michel » (p. 88) ou de son père devenu « un hors-la-loi [...] dans les marécages du marché noir » (p. 87).

L'art de la fugue

Le thème de la fugue est au cœur de *Dora Bruder* – qu'il s'agisse de celles de l'adolescente juive (Dora s'est enfuie une première fois le 14 décembre 1941, puis une seconde fois après son retour en avril 1942) ou de celle qui poussa le jeune Patrick Modiano à fuir le pensionnat dans lequel il se trouvait en janvier 1960.

On aurait tort de ne voir dans ces fugues, évoquées à maintes reprises au cours du récit, qu'un simple thème narratif. En réalité, la fugue est aussi un principe de structuration auquel recourt fréquemment Patrick Modiano. Au sens musical du terme, la fugue est en effet un mode de composition, de style polyphonique, dans lequel différents thèmes se poursuivent et se superposent. Cet art repose sur un jeu de variations et de contrastes, de répétitions en échos, d'inversions et de symétries, qui sont généralement marqués par l'opposition d'un sujet et d'un contre-sujet. Sans entrer dans une analyse excessivement technique du livre, on remarquera que Patrick Modiano se plaît à mêler, agencer ou superposer des motifs récurrents, dans un jeu permanent de reprises et d'échos. L'avis de recherche de Dora Bruder, publié dans *Paris-Soir* le 31 décembre 1941, est reproduit plusieurs fois, sous des formes sensiblement différentes (p. 23 et 54), avant d'être relayé par la citation des mains courantes du commissariat de police du quartier de Clignancourt en date du 27 décembre 1941 (p. 97) et du 17 avril 1942 (p. 107). De la même manière, le narrateur se demande à plusieurs reprises, en des termes presque similaires, ce que signifient les chiffres « 7029 21/12 » (p. 97) et « 2098 15/24 » (p. 107) que comportent ces mains courantes, ou ce que fit

Dora entre le moment de sa fuite et celui de son internement au camp de Drancy :

> Je me demande ce qu'a bien pu faire Dora Bruder, le 14 décembre 1941, dans les premiers moments de sa fugue (p. 95).
>
> Pendant ces quatre mois, on ignore où Dora Bruder était, ce qu'elle a fait, avec qui elle se trouvait (p. 108).
>
> Je me demande ce qui s'est passé, pour Dora, entre le 15 juin [...] et le 17 juin (p. 137).
>
> J'ignorerai toujours à quoi elle passait ses journées, où elle se cachait, en compagnie de qui elle se trouvait pendant les mois d'hiver de sa première fugue (p. 167).

Il suffit de lire ces extraits pour comprendre que Patrick Modiano opère des variations sur un même thème en entrelaçant les formulations («je me demande / on ignore / je me demande / j'ignorerai toujours»). Ce faisant, il recourt à l'art de la fugue, «style dit en imitation dans lequel une ligne mélodique donnée se superpose à sa propre image, décalée dans le temps», selon l'*Encyclopædia Universalis*.

Les variations d'un virtuose

D'une page à l'autre, d'un roman à l'autre, Patrick Modiano opère des variations sur les thèmes qui le hantent. Le passé, la quête du père absent, le sort fait aux Juifs durant la Seconde Guerre mondiale, l'identité, la peur, la disparition, le vide, tels sont les leitmotive* de son univers romanesque. Ces variations renforcent la cohésion d'une œuvre fortement architecturée et confèrent un caractère obsessionnel aux interrogations de l'écrivain. Tels des palimpsestes*, ces parchemins effacés sur lesquels un nouveau texte est inscrit, les romans de Patrick Modiano donnent l'impression d'être écrits les uns sur les autres et tendent à se confondre par un phénomène de surimpression. Le romancier reconnaît, par exemple, que *Voyage de noces* constitue une première version de l'histoire de Dora, un avant-texte que le livre de 1997 viendra réécrire. De son propre aveu, le romancier s'est rendu compte, avec le recul, qu'il lui avait fallu écrire les deux cents pages de *Voyage de noces* «pour capter, inconsciemment, un vague reflet de la réalité» (p. 78).

Reprocher à Patrick Modiano d'écrire toujours la même histoire ou de s'enfermer dans un monde qui est toujours le même, c'est commettre à la fois une injustice et une erreur; car, en matière de variations, ce sont les nuances, les demi-teintes, les temps morts, les décalages les plus subtils qui importent. Seul un virtuose pouvait à ce point parvenir à les orchestrer!

De l'histoire à l'autobiographie fictive

Une prise en compte de la réalité historique

Comme dans la plupart de ses romans, Patrick Modiano accorde une attention particulière à l'histoire, qu'il évoque avec un réalisme presque documentaire.

Les intérêts français en Afrique du Nord – Cette attention ne concerne pas la seule période de l'occupation allemande durant la Seconde Guerre mondiale. Les pages consacrées à Ernest Bruder sont par exemple l'occasion d'évoquer les opérations de pacification des territoires encore insoumis du Maroc, sous protectorat français depuis la convention de Fès de 1912. Le romancier fait clairement référence au maréchal Lyautey, chef de guerre, diplomate et administrateur dont l'ombre s'étend sur le Maroc pendant près de deux décennies.

L'itinéraire personnel d'Ernest Bruder prouve, s'il en était besoin, que l'on peut avoir servi les intérêts français en Afrique du Nord et se retrouver, quelques années plus tard, interné au camp de Drancy pour avoir des origines juives. Ironie de l'histoire, le maréchal Pétain, qui dirige le gouvernement de Vichy sous l'Occupation et qui contribue à la déportation des Juifs, prenait part vers 1925 aux opérations de pacification du Maroc aux côtés de Lyautey. Il avait alors besoin de légionnaires – comme Ernest Bruder –, les mêmes parfois que l'on enverra, quinze ans plus tard, vers les camps de la mort.

Les « questions juives » sous l'Occupation – Le récit de Patrick Modiano permet surtout au lecteur d'apprendre, à travers l'existence d'une jeune Juive française, quel fut le sort réservé aux Juifs pendant la Seconde Guerre mondiale. L'auteur de *La Place de l'Étoile* ne se

Une troupe allemande est passée en revue à quelques mètres de l'hôtel Intercontinental, rue de Rivoli, qui est le siège de la Gestapo.

contente pas d'évoquer l'atmosphère crépusculaire et le climat de suspicion générale qui règnent dans la capitale occupée. Il cite des faits marquants (la rafle du Vél' d'Hiv de juillet 1942, par exemple), désigne des lieux de douleur (le camp des Tourelles et celui de Drancy), évoque les « traquenards » que la Police des questions juives tendait « dans les couloirs du métro », les arrestations sans motif, le départ des convois vers Auschwitz. Une lecture attentive de *Dora Bruder* permet de suivre pas à pas la progression du mal : la débâcle de juin 1940 qui oblige les familles juives, comme les autres, à fuir devant l'ennemi ; la publication, en octobre de la même année, de l'ordonnance « selon laquelle les juifs devaient se faire recenser dans les commissariats » (p. 73) ; l'apparition des numéros de « dossier juif », matricule qui se substitue à l'identité de la personne ; la surveillance policière et la délation ; le port de l'étoile jaune ; le décret allemand imposant le couvre-feu ; la nécessité de cacher les enfants juifs dans les caves ou les instituts religieux ; la rafle de sept cents Juifs français le 12 décembre 1941 (p. 80) ; « l'amende de un milliard de francs imposée aux juifs » (p. 80) et la spoliation de leurs biens ; l'instauration du « contrôle périodique » (p. 80) ; l'effroyable mise en place de la solution finale…

Les faits énoncés dans les dernières pages du récit se passent de tout commentaire : malgré une invalidité à 100 %, Ernest Bruder est interné à Drancy, qu'il quittera le 18 septembre 1942 dans un convoi pour Auschwitz (p. 166). « Des centaines et des centaines de femmes, que l'on avait séparées de leurs enfants » suivront le même chemin (p. 165). À lire ces pages terribles, dans lesquelles le romancier enregistre des faits, donne des chiffres, cite des noms pour éviter qu'ils sombrent à jamais dans l'oubli, on a peine à croire qu'il fut un temps, à la fin de l'année 1941, où des Juifs pouvaient encore demander à la police française de les aider à retrouver une jeune fille disparue. C'est ainsi : la Shoah* s'est faite avec la complicité de l'administration française.

La bureaucratie de l'amnésie – Comme l'écrivait Jorge Semprun dans *Le Journal du dimanche* en 1997, *Dora Bruder* est aussi « une chronique impitoyable, dans sa sécheresse documentaire, des complicités administratives de toute sorte qui ont participé à la persécution et l'extermination des Juifs dans la France de Vichy ». Le romancier ne se contente pas d'évoquer l'internement de Dora au camp des Tourelles, puis son transfert à celui de Drancy ; dans des pages qui ne manquent ni de rigueur documentaire ni de courage, Patrick Modiano dévoile qui se cache derrière le « ils » anonyme des responsables de cette arrestation. « "Ils" : cela pouvait être aussi bien de simples gardiens de la paix que les inspecteurs de la Brigade des mineurs ou de la Police des questions juives » (p. 85). Dans *La Ronde de nuit*, Patrick Modiano s'était livré à une transposition romanesque des principaux acteurs de l'histoire. Le personnage qu'il nomme « le Khédive », et que ses intimes appellent « Henri », n'est autre qu'Henri Lafont, petit truand devenu l'un des chefs de la « Gestapo française » sous l'Occupation.

Dans *Dora Bruder*, le romancier ne prend pas cette peine. Il cite, comme on cite en justice, le nom des victimes dont il est parvenu à retrouver la trace et celui des bourreaux qui les ont envoyées à la mort.

Il retiendra par exemple, parmi tant d'autres, le nom de Jeannette Gros-man, Juive française de dix-neuf ans qui demande aux autorités préfec-torales de bien vouloir examiner le cas de ses parents « assez âgés, malades, venant d'être pris en tant que juifs » (p. 106). Une telle requête fait preuve d'une naïveté touchante lorsqu'on sait quelles méthodes étaient employées par la Police des questions juives. Un texte, extrait d'un rapport administratif rédigé en novembre 1943 par un responsable du service de la Perception de Pithiviers, décrit les agis-sements du commissaire Schweblin dans les camps de Drancy et de Pithiviers : les fouilles que ses hommes de main pratiquaient « avant chaque départ des internés pour Auschwitz » (p. 88) participent de la spoliation systématique des biens juifs à laquelle se livrent les gangsters de la Gestapo française. Le document que cite Patrick Modiano dans *Dora Bruder* (p. 88 et 89) est d'autant plus précieux qu'il échappe à ce que le journaliste Pierre Lepape nomme, dans un article consacré au roman de Patrick Modiano, « la bureaucratie de l'amnésie ». Car il faut le dire et le redire sans cesse : comme un criminel qui efface les traces de son passage après un forfait, les policiers des questions juives détrui-sirent leurs fichiers et les procès-verbaux des interpellations pratiquées au cours des rafles. Plus tard, à la Libération, « il y eut ceux qui ne se souvenaient de rien, ou qui n'avaient rien vu, rien su et qui désiraient qu'après la mort de l'homme la vie continue, comme si de rien n'était ». Peut-être y a-t-il encore aujourd'hui « une cohorte de sentinelles char-gées d'interdire l'accès de la mémoire à ceux qui la cherchent enfouie dans la poussière des documents et des registres, enfermée dans des caves dont les clefs semblent inaccessibles ou égarées » (Pierre Lepape, *Le Monde des livres*).

L'écriture et la vie

L'intérêt de *Dora Bruder* réside en grande partie dans la façon dont Patrick Modiano mêle l'évocation de sa propre existence à celle de ses personnages, effaçant à sa manière la distance qui le sépare d'autrui.

Une biographie inachevée – Dans ses premiers romans, Patrick Modiano mettait fréquemment en scène des êtres sans consistance, privés de vie affective et de profondeur psychologique. De nombreux personnages de *La Ronde de nuit*, par exemple, n'étaient cités qu'une fois (c'est le cas de Schiedlansky, Delfanne, Jurgens ou Santoni), traversant le récit comme des météores. La vie de ces êtres, qui semblent n'avoir ni passé ni avenir, est aussi prompte à se dissiper qu'un peu de buée sur une vitre.

C'est pour éviter que le souvenir d'une vie s'efface, pour lutter contre l'oubli, que Patrick Modiano est devenu écrivain. Chaque page de *Dora Bruder* en témoigne. Dans ce récit, au statut générique incertain, le romancier cherche moins à rédiger la biographie* d'une jeune Juive disparue dans la nuit de la déportation, qu'à sauver un nom par la littérature, un visage par la force des images, une histoire par la magie des mots. Patrick Modiano le dit, avec une détermination et une lucidité qui forcent le respect (p. 88) :

> **Si je n'étais pas là pour l'écrire, il n'y aurait plus aucune trace de la présence de cette inconnue.**

En dépit de ses efforts, l'enquêteur ne parvient cependant pas à reconstituer l'histoire morcelée de Dora Bruder. Sa biographie restera inachevée, trouée de silences et d'oubli. Un peu comme ces traces, à demi effacées, que le sable refuse de céder à la vague. Comme ces lambeaux de papiers peints, imparfaitement déchirés, « traces de chambres où l'on avait habité jadis », et dont on se souvient.

Une autobiographie en creux – En recherchant vainement Dora Bruder dans un passé qui le hante, Patrick Modiano retrouve aussi ses propres traces. Les lieux qu'il arpente pour tenter de déchiffrer le mystère d'une disparition sont ceux où ses propres fantômes continuent d'errer : le quartier du boulevard Ornano et le marché aux Puces de Saint-Ouen où il accompagnait sa mère dans l'enfance ; le quartier de la Chapelle et la butte Montmartre ; la banlieue nord-est de Paris, au bord du canal de l'Ourcq (p. 34). Les événements de la vie de Dora le renvoient à ceux de sa propre existence : la fugue de ses quinze ans (« Qu'est-ce qui nous décide à faire une fugue ? Je me souviens de la mienne le 18 janvier 1960, à une époque qui n'avait pas la noirceur de décembre 1941 », p. 81-82) ; son expérience du pensionnat ; ses propres déambulations dans les rues de Paris ; la séparation de ses parents ; l'arrestation qu'il a lui-même connue, en 1963, lorsque son père fit « appeler police secours » pour se débarrasser de lui ; la disparition de ce père qu'il ne reverra jamais. À travers l'histoire inachevée de Dora Bruder, Patrick Modiano donne à lire, en creux, une histoire fragmentée de sa propre vie. Le romancier nous parle de sa jeunesse, de ses lectures, de sa mère comédienne, de ce père ambigu qui faisait naître en lui angoisse et révolte.

Dora Bruder est le récit dans lequel Patrick Modiano pousse l'obsession du passé jusqu'à l'identification. La jeune fille juive disparue dans l'horreur des camps peu de temps avant sa naissance n'est pas un être inconnu dont il tente vainement de retrouver la trace : elle est son reflet au féminin, un double inversé de lui-même, l'alter ego qui lui manque depuis l'enfance. Ira-t-on jusqu'à dire que le romancier interroge la disparition de son frère Rudy à travers celle de Dora ? Peut-être. Après tout, « Bruder », nom de ce personnage éponyme unique dans l'œuvre de Patrick Modiano, signifie « frère » en allemand.

L'histoire d'un père – Le lecteur aura sans doute remarqué que les deux figures féminines que sont la mère de Dora, Cécile Bruder, et celle du narrateur sont assez peu présentes dans le récit de Patrick Modiano. La figure du père, doublement incarnée par Ernest Bruder et Albert Modiano, y est en revanche de première importance. Ce parallélisme est d'autant plus frappant que Dora se retrouve, contre toute attente, dans le même lieu d'internement que son père, comme Patrick et Albert Modiano se retrouveront dans le même « panier à salade », au début des années 1960, à la suite d'un différend familial.

Ces similitudes pourraient paraître insignifiantes, si l'auteur de *Dora Bruder* n'établissait des liens entre la situation des Bruder en plein Paris allemand et celle de son propre père. Ernest Bruder et Albert Modiano ont en commun des origines juives, l'un et l'autre ont été victimes d'une rafle sous l'Occupation. Mais tandis que l'un termine sa vie dans l'enfer des camps, l'autre sort indemne de sa confrontation avec l'ogre nazi et les petits malfrats de la « Gestapo française ». La vérité, longtemps suggérée dans les livres antérieurs, éclate dans *Dora Bruder*, avec une netteté et une lucidité peu communes : pour éviter de porter l'étoile jaune – entendez par la pour échapper à une mort certaine –, le père de l'écrivain est entré dans la clandestinité. La formulation impersonnelle adoptée par Patrick Modiano introduit une nuance significative : Albert Modiano n'est pas *devenu un hors-la-loi* ; « on [a] fait de lui un hors-la-loi » qui allait « suivre cette pente-là par la force des choses, vivre d'expédients à Paris, et se perdre dans les marécages du marché noir » (p. 87). Avez-vous perçu, jeunes lecteurs, ce que ces lignes ont de poignant ? Ce qu'elles impliquent de la part d'un fils qui fut repoussé par son père ? Avec *Dora Bruder*, le romancier tente de réhabiliter l'homme qui lui a donné la vie. Après avoir évoqué la façon dont ce père, qui le traita de « voyou », tenta de l'abandonner dans un obscur commissariat de quartier (p. 92-93), puis de le faire incorporer de force à la caserne de Reuilly (p. 94), Patrick Modiano dépasse son ressentiment et sa douleur pour expliquer, sans manichéisme, comment un Juif pouvait être amené à vivre une situation ambiguë sous l'Occupation. On l'aura compris : le récit de Patrick Modiano n'a rien à voir avec le violent réquisitoire que le narrateur de *Post Mortem*, récit épistolaire de Carlos Bauverd paru aux éditions Phébus en 2003, adresse au père fasciste qui a gâché sa vie. La situation de ce père, né en Suisse en 1914, n'est nullement comparable à celle d'Albert Modiano, de deux ans son aîné. L'un est un nazi notoire – il le restera jusqu'à sa mort –, disciple d'Hitler et de Franco qui prêta brillamment sa plume à *Je suis partout*, journal antisémite de l'Occupation ; l'autre n'est qu'un paria de la société de Vichy qui appartient à « la même catégorie de réprouvés » que Dora Bruder (p. 86). Si le premier suscite « un amour haineux » parce qu'il est impossible d'être le fils d'un nazi, le second est, selon le mot de Jean Genet, l'objet d'une « tendresse attristée » (p. 162). C'est elle qui confère au livre de Patrick Modiano son charme indéfinissable et sa profonde humanité.

Annexes

De vous à nous

Ouvertures (p. 17)

Lecture cursive

1 – a – *Dora Bruder* a été publié en 1997.

b – Dans toute l'œuvre de Patrick Modiano, ce livre est le seul dont le titre soit un nom propre et désigne une personne réelle.

2 – Le narrateur mentionne le personnage de Manon Lescaut qui donne son titre à un roman publié par l'abbé Prévost en 1731.

Lecture analytique

1 – a – L'histoire est racontée à la première personne par un narrateur anonyme qui ne se définit que par le pronom personnel « je ». Ce narrateur apparaît dès la première phrase de l'ouvrage. C'est également lui qui évoque ses souvenirs d'enfance et d'adolescence dans le quartier du boulevard Ornano. C'est lui enfin qui décide de mener une enquête afin de connaître l'origine et le destin de Dora Bruder, à partir de la page 29.

b – Le narrateur a fréquenté dès son enfance le quartier du XVIIIe arrondissement où vivaient Dora Bruder et ses parents. Il accompagnait sa mère aux Puces de Saint-Ouen. On sait également que l'adolescent est souvent revenu dans cet arrondissement en 1965, et qu'il en a beaucoup fréquenté les cafés et les cinémas, le plus souvent en hiver, à la nuit tombée ou avant le lever du jour. On apprend page 33 qu'il a vainement cherché son père hospitalisé à la Pitié-Salpêtrière, vingt ans avant de demander une dérogation lui permettant de consulter l'état civil de Dora, au palais de justice. Le narrateur n'a jamais revu son père, malgré ses recherches dans les différents bâtiments de l'hôpital. On sait qu'il a séjourné à Vienne, à l'âge de vingt ans, en 1965, la même année qu'il fréquentait le quartier Clignancourt. On apprend encore qu'en 1968 il a souvent parcouru les boulevards jusque sous les arches du métro aérien. Enfin, le narrateur rapporte une fugue vécue à l'âge de quinze ans. Ces indices nous permettent d'identifier le narrateur avec l'auteur, Patrick Modiano, sans oublier pour autant que l'écrivain ne se livre pas à une autobiographie* authentique mais associe toujours étroitement autobiographie et fiction.

2 – L'histoire relatée par Patrick Modiano se passe à Paris et dans sa banlieue nord. Le premier indice est fourni par l'adresse des Bruder, donnée dans l'avis de recherche, page 23. Le deuxième indice est fourni par le narrateur qui évoque ses promenades enfantines et adolescentes dans le quartier du boulevard Ornano. Le troisième indice est fourni par les multiples allées et venues du narrateur, au cours de son enquête, dans le XVIIIe arrondissement, à la mairie du XIIe arrondissement, au palais de justice, dans le VIe arrondissement, et sur l'ancien emplacement du Saint-Cœur-de-Marie, où Dora est scolarisée à partir du 9 mai 1940.

3 – L'énonciation*, ou acte de production de l'énoncé*, se situe au cours de la seule année 1996, ainsi que le révèlent plusieurs indications allusives ou directes, notamment page 75. Le moment de l'énoncé, qui désigne la temporalité des faits racontés, est beaucoup plus vaste. Il va de la naissance d'Ernest Bruder, en 1899, à l'année 1996, en passant par le moment fondateur de l'année 1988 où le narrateur découvre l'avis de recherche du 31 décembre 1941. Cet ensemble est stratifié en de nombreuses zones temporelles, mais se concentre principalement sur 1941-1942. Enfin, il ne cesse d'établir des connexions entre l'existence de Dora et de sa famille et celle du narrateur.

Arrêt sur lecture 1 (p. 71)

Repérages géographiques

1 – L'élaboration de ce plan sera laissé à votre initiative, mais les indications suivantes pourront vous aider : le récit de Patrick Modiano se situe essentiellement dans les XVIIIe et XIIe arrondissements de Paris, l'auteur mentionnant aussi la commune de Sevran dans la banlieue nord de Paris.

2 – a – La famille du père, Ernest Bruder, né à Vienne, en Autriche, est probablement originaire de Galicie, de Bohême ou de Moravie, anciennes provinces orientales de l'Empire austro-hongrois. La famille de la mère, Cécile Burdej, née à Budapest, en Hongrie, est venue de Russie au début du XXe siècle.

b – Ernest Bruder est né le 21 mai 1899, à Vienne, alors capitale de l'Empire austro-hongrois, dans le quartier juif de Leopoldstadt. 1919 : s'engage dans la Légion étrangère, en qualité de 2e classe, légionnaire français. Envoyé vers les casernes de Belfort et de Nancy, puis au fort Saint-Jean à Marseille où il embarque pour l'Afrique du Nord. Il reçoit sa prime à Sidi Bel Abbes, est vraisemblablement entraîné en Algérie avant de rejoindre les casernes marocaines de Meknès, de Fez ou de Marrakech. Il participe certainement aux opérations de pacification du territoire marocain, ordonnées et planifiées par le maréchal Lyautey. Blessé et déclaré « mutilé de guerre 100 % », il arrive à Paris en 1924, à l'âge de vingt-cinq ans. Le 12 avril 1924, il épouse Cécile Burdej et réside avec elle dans le XVIIIe arrondissement, 17, rue Bachelet. En 1926, à la naissance de Dora, Ernest Bruder et son épouse vivent dans la banlieue nord de Paris, 2, avenue Liégeard, à Sevran, en Seine-et-Oise, à proximité des usines de freins Westinghouse où Ernest est probablement manœuvre. À une date indéterminée, la famille revient à Paris, dans le XVIIIe arrondissement, dans un hôtel de la rue Polonceau, au numéro 32 ou au numéro 49. Dès 1937-1938, les Bruder déménagent une dernière fois et se fixent dans un hôtel au 41, boulevard Ornano. Ernest Bruder est arrêté et conduit au camp d'internement de Drancy le 15 mars 1942. Il est déporté à Auschwitz par le convoi du 18 septembre de la même année.

Repérages historiques

1 – La débâcle de juin 1940 désigne la défaite spectaculaire des troupes anglo-françaises devant l'avancée des troupes de la Wehrmacht (armée allemande du IIIe Reich). Privés de moyens et d'un commandement cohérent, de nombreux soldats fuient l'ennemi ou se rendent et sont conduits en Allemagne dans des camps de prisonniers. Le 22 juin, le maréchal Pétain signe l'armistice avec Hitler, à Rethondes, dans le wagon où l'Allemagne avait capitulé en 1918.

2 – a – L'Occupation est la période pendant laquelle la France est occupée par la Wehrmacht et directement administrée par le commandement militaire allemand, sur les trois cinquièmes de son territoire.

b – Du 22 juin 1940 à 1942, la France est divisée en deux zones. La zone nord est occupée et dirigée par les Allemands. La zone sud, dite « zone libre », est confiée par l'Allemagne au pouvoir du maréchal Pétain qui crée le régime de Vichy et collabore activement avec l'ennemi. À l'automne 1942, les troupes allemandes envahissent cette zone afin de lutter contre la Résistance et tenter d'empêcher tout débarquement allié en Provence.

3 – a – Les « événements d'Algérie », désignent la guerre d'Algérie.

b – Les « événements d'Algérie » commencent en 1954 avec une insurrection principalement animée par le Front de libération nationale (FLN). Le conflit s'achève par la signature des accords d'Évian, le 18 mars 1962, et la proclamation de l'indépendance de l'Algérie, le 1er juillet 1962.

Vocabulaire

1 – a. « Filigrane », entré dans la langue française en 1665, vient du mot italien *filigrana* qui signifie « fil à grains ».

b – Premier sens : ouvrage fait de fils de métal (argent, or) et de fils de verre entrelacés et soudés.

Deuxième sens : dessin imprimé dans la pâte de papier et qu'on peut voir par transparence.

c – Dans le texte, Patrick Modiano donne au mot « filigrane » un sens figuré : ce qui est à l'arrière-plan, dont on devine la présence, ce qui n'est pas explicite.

2 – a – Patrick Modiano utilise le mot « empreinte » (p. 42).

b – La définition est donnée page 42. L'auteur écrit : « Empreinte : marque en creux ou en relief. »

3 – Lorsqu'il évoque l'enquête qu'il mène, le narrateur du roman recourt souvent à des modalisateurs, termes qui expriment un doute ou la subjectivité du locuteur.

a – Première phrase : « Le dimanche soir, une vieille automobile de sport noire – une Jaguar me semble-t-il – était garée rue Championnet, à la hauteur de l'école maternelle » (p. 24).

Deuxième phrase : « Peut-être était-il d'origine moins misérable que les réfugiés de l'Est » (p. 37).

Troisième phrase : « Sans doute parce qu'il était difficile de continuer d'habiter à trois dans la chambre d'hôtel du boulevard Ornano » (p. 49).

b – Le narrateur utilise des modalisateurs afin d'exprimer les incertitudes de son enquête et les différentes hypothèses qu'il est amené à formuler, sans pouvoir leur apporter de réponse définitive.

4 – Patrick Modiano imagine des personnages et des situations fictifs à partir de sa famille, ses relations et sa propre existence. Les narrateurs des romans ressemblent en bien des points à Patrick Modiano, possèdent son état civil ou portent parfois son prénom.

Lecture cursive

1 – Il s'agit d'un roman intitulé *De si braves garçons*, paru en 1982, et d'un recueil de nouvelles intitulé *Des inconnues*, paru en 1999.

2 – a – Ambrose Guise est l'auteur d'une série de romans policiers dont le héros se nomme Jarvis.

b – Jimmy Sarano est né à Boulogne-Billancourt le 20 juillet 1945. Sa mère est comédienne.

c – Edmond Claude est un ancien élève du collège privé de Valvert, qui fait songer aux institutions scolaires où Patrick Modiano a été élevé. Comme la mère de l'auteur, Luisa Colpeyn, il est un comédien de second ordre.

Arrêt sur lecture 2 (p. 128)

Lecture analytique

1 – a – La première phrase de l'extrait de *Voyage de noces* et l'incipit de *Dora Bruder* ont une structure voisine. Dans les deux cas, le narrateur se réfère à un double passé : celui de la publication d'un avis de recherche, celui de la découverte du document.

b – Patrick Modiano a écrit *Voyage de noces* afin de combler le sentiment de manque qu'il éprouvait à l'époque où il ne connaissait presque rien de Dora Bruder. Il espérait parvenir à élucider une partie de son mystère à travers l'écriture de ce roman.

c – La structure des deux avis de recherche est exactement la même. L'ordre des détails donnés ne varie pas. Les visages ont la même forme. Cependant, le premier avis ne comporte pas la mention « Paris ». En outre, le nom, l'âge, la couleur des yeux, la taille, les couleurs des vêtements diffèrent. Dans les deux cas, l'adresse indiquée se trouve boulevard Ornano, mais ne sont pas les mêmes. Le premier avis ne mentionne que le père d'Ingrid, tandis que le second mentionne le père et la mère de Dora.

2 – a – Le 9 mai 1940, Dora est inscrite au Saint-Cœur-de-Marie, la veille de l'invasion. Entre juin et juillet, elle suit l'exode avec les élèves de l'internat, jusqu'en Maine-et-Loire, puis revient à Paris. De l'été 1940 au dimanche de sa fugue, elle ne circule qu'entre l'internat de la rue Picpus et le 41, boulevard Ornano, le dimanche. Sa fugue a lieu le 14 décembre 1941, le premier jour après la levée d'un couvre-feu d'une semaine. Elle ne réapparaît que le 17 avril 1942. Une nouvelle fugue s'achève le 15 juin, alors que depuis le 7 les Juifs étaient astreints au port de l'étoile jaune. Dora arrive le 19 juin au camp des Tourelles. Elle est transférée au camp de Drancy le 13 août avec trois cents femmes juives, avant d'être déportée avec son père par le convoi du 18 septembre 1942.

b – En plaçant ces dates sur une frise chronologique, on constate que l'itinéraire de Dora se modifie toujours selon les événements majeurs de l'Occupation, jusqu'à sa déportation.

Recherches documentaires

1 – Vous pourrez préparer votre exposé sur Roger Gilbert-Lecomte et le

Grand Jeu en consultant les ouvrages suivants : *Les Poètes du Grand Jeu*, présentation et choix de Zeno Bianu, Poésie/Gallimard, 2003 ; *Roger Gilbert-Lecomte*, par Christian Noorbergen, coll. Poètes d'aujourd'hui, Seghers, 1988.

2 – a – Au cours des années 1920, Robert Desnos a fait partie du groupe surréaliste.

b – Robert Desnos a publié certains textes sous les pseudonymes de « Pierre Andier » et « Lucien Gallois », après être entré dans le réseau de résistance « Agir ». Ces textes étaient publiés dans la revue clandestine *L'Honneur des poètes*, par les Éditions de Minuit.

c – Robert Desnos a été arrêté par la Gestapo, à son domicile parisien de la rue Mazarine, le 22 février 1944, un quart d'heure après avoir été prévenu par un coup de téléphone alarmiste et bienveillant. Plusieurs journalistes et intellectuels collaborateurs, dont Louis-Ferdinand Céline, avaient réclamé sa tête dès 1941. Il est emprisonné à Compiègne et aurait sans doute été rayé des listes de déportation sans l'intervention d'Alain Laubreaux, journaliste fasciste et antisémite, qui le dénonce comme « terroriste » et « communiste ». Il est alors déporté le 27 avril.

d – En avril 1942, Robert Desnos gifle le journaliste fasciste et antisémite Alain Laubreaux. Le 25 juillet, après la rafle du Vél' d'Hiv', il entre dans le réseau de résistance « Agir ». Le 16 août, Pierre Pascal, rédacteur de *L'Appel*, revue fasciste, adresse une lettre d'insultes à Desnos, à la suite d'un de ses articles dans la revue *Aujourd'hui*. Desnos continue de publier. Son père meurt le 5 octobre. Le 22 février 1944, il est arrêté à son domicile, transféré rue des Saussaies puis, le 23, à la prison de Fresnes où il est interrogé les 4 et 5 mars. Il est transféré au camp de Compiègne le 20 avril. Le 27, il fait partie d'un convoi de 177 déportés et arrive à Auschwitz le 30. Le 14 mai, il arrive au camp de Buchenwald, puis à Flossenbürg le 25. Les 2-3 juin, il est acheminé au camp de Flöha en Saxe d'où il écrira trois lettres à sa femme Youki. Le 14 avril 1945, à l'approche des Alliés, il fait partie des déportés évacués vers Terezín en Tchécoslovaquie où il arrive le 8 mai. Atteint du typhus, il meurt le 8 juin à 5 h 30 du matin.

3 – a – L'Affiche rouge a été placardée par les Allemands dans les rues de Paris en février 1944.

b – Cette affiche cherchait à stigmatiser les membres du groupe de résistance « Manouchian » en faisant valoir qu'ils étaient des terroristes étrangers au service du communisme. Tout au contraire, le peuple de Paris verra en eux des héros de la Résistance et des martyrs patriotes.

c – Dans « Strophes pour se souvenir », Louis Aragon chante l'héroïsme des membres du groupe Manouchian et célèbre leur sacrifice à la cause de la France. Le poète reprend également une partie des paroles que Manouchian adresse à sa femme Mélinée dans une lettre écrite peu avant sa mort.

Repérages historiques

1 – a – La collaboration désigne la période au cours de laquelle, entre 1940 et 1944, les forces de l'Allemagne nazie ont occupé la France, pendant la Seconde Guerre mondiale. Le territoire français est alors divisé en plusieurs zones, la zone occupée dont Paris est le centre et la zone libre administrée par le gouvernement français de Vichy, qui sert les intérêts du vainqueur et entreprend une politique systématique de collaboration avec lui.

b – La collaboration d'État désigne la politique délibérément pratiquée par le gouvernement de Vichy après la défaite de juin 1940 en vue d'établir une coopération avec l'Allemagne nazie. À partir de 1942, les concessions se multiplient : propagande antisémite, spoliation des biens juifs, lutte contre les réseaux de résistants, déportation de milliers de travailleurs français en Allemagne, participation active aux rafles de Juifs et collaboration économique. Il s'agit donc d'une soumission quasiment inconditionnelle aux volontés du vainqueur. La collaboration économique est l'exploitation des ressources de l'économie française par l'Allemagne nazie. Elle est organisée et facilitée par une série de mesures et de faits : l'État paye quotidiennement des frais d'occupation à l'Allemagne ; de grandes entreprises choisissent de travailler avec l'occupant afin de réaliser des profits importants ; on assiste à la prolifération du commerce illicite, appelé « marché noir », dont les spécialistes travaillent pour le compte de bureaux d'achats d'obédience nazie plus ou moins clandestins.

2 – Bien avant la moindre pression allemande, le gouvernement de Vichy institue un *numerus clausus*, ou système d'exclusion, le 3 octobre 1940, excluant les Juifs des postes élus, des postes de responsabilité dans la fonction publique, la magistrature et l'armée, et d'un certain nombre d'activités culturelles. 4 octobre : une loi autorise les préfets à interner les Juifs étrangers dans des camps spéciaux ou à les assigner à résidence. 7 octobre : la loi Crémieux étendant la nationalité française aux Juifs d'Algérie est abrogée. En zone occupée, les autorités allemandes mettent en place la confiscation des biens juifs ; l'ordonnance du 2 octobre décide le recensement des Juifs, qui commence les jours suivants. 2 juin 1941 : aggravation du *numerus clausus* et mise en place d'un quota dans certaines professions. 21 juin : restriction du nombre d'élèves et d'étudiants juifs dans les établissements secondaires et les universités. La loi du 22 juillet vise à « supprimer toute influence israélite dans l'économie nationale ». Il en résulte un trafic de biens juifs entre les deux zones. Dès 1941, la police française collabore à l'internement de plusieurs milliers de Juifs étrangers dans la zone occupée, selon des quotas fixés par Himmler. 27 mars 1942 : premier convoi de déportation. 7 juin : l'étoile jaune devient obligatoire en zone occupée. 15 décembre : une amende de un milliard de francs est imposée aux Juifs. 16 juillet : 13 152 Juifs sont arrêtés et rassemblés au Vélodrome d'Hiver. 10 000 Juifs étrangers de la zone libre sont livrés en juillet. Environ 76 000 Juifs seront déportés de France ; 2 654 seulement reviendront des camps de concentration.

3 – Dans la nuit du 23 au 24 août 1572, à l'occasion de la fête de la Saint-Barthélemy, les troupes catholiques ont massacré les protestants de Paris. Des massacres similaires ont eu lieu en province les jours suivants. Ces exactions peuvent être comparées aux crimes commis contre les Juifs pendant l'Occupation, car la même intolérance et la même volonté d'extermination d'une minorité confessionnelle et culturelle se manifestent dans les deux cas.

Arrêt sur lecture 3 (p. 176)

Lecture cursive

1 – La réponse à cette question est laissée à votre initiative. Vous pourrez appuyer votre recherche en relisant notamment les pages 130-141, 142-147, 163-166, de *Dora Bruder*.

2 – L'auteur de ce texte attribue la responsabilité des rafles et de la déportation des Juifs au maréchal Pétain, à son gouvernement et à sa police, qui ont activement collaboré avec les nazis.

Vocabulaire

1 – a – L'antisémitisme consiste dans l'ensemble des doctrines et des attitudes fondées sur une hostilité systématique à l'égard des Juifs.

b – Des actes antisémites ont eu lieu en France, à différentes reprises depuis la Seconde Guerre mondiale, mais de façon plus régulière et plus alarmante depuis 2002, prenant la forme d'agressions verbales et physiques, et parfois de harcèlement moral et de vandalisme. Les plus récents ont eu lieu au printemps et pendant l'été 2004. Plusieurs cimetières juifs ont été profanés par des inconnus qui ont inscrit des croix gammées et des slogans nazis sur les tombes.

2 – *Shoah* est un mot hébreu qui signifie « anéantissement ». Il désigne l'extermination de six millions de Juifs européens par les nazis, au cours de la Seconde Guerre mondiale.

Expression écrite

1 – Ce sujet d'imagination est laissé à votre initiative. Vous pourrez vous aider en vous appuyant sur l'œuvre de Patrick Modiano.

2 – Ce sujet de réflexion est laissé à votre initiative. Expliquez notamment que la phrase de Pierre Seghers est un avertissement lancé à la jeunesse afin qu'elle n'oublie pas les crimes commis pendant l'Occupation et qu'elle demeure vigilante devant la menace d'une résurgence de l'antisémitisme et du racisme.

Atelier d'écriture

Ces travaux sont laissés à votre initiative. Vous les accomplirez sous la conduite de votre professeur.

Glossaire

Autobiographie : Biographie d'un auteur faite par lui-même.

Biographie : Genre d'écrit qui a pour objet l'histoire de vies particulières.

Énonciation : Acte de production d'un énoncé.

Énoncé : Faits racontés qui s'inscrivent dans le temps.

Fait divers : Événement de la vie quotidienne, sans portée générale. Rubrique de presse relatant de tels événements.

Intertextualité : Ensemble des relations qu'un texte, notamment littéraire, entretient avec d'autres, au plan de sa création et de sa lecture.

Leitmotiv : Motif régulièrement répété prenant une valeur expressive extramusicale dans une partition. Par extension, tout motif ou thème dont la reprise constante dans une œuvre littéraire évoque et accompagne une idée, un sentiment, un personnage.

Narration : Récit d'une suite de faits. Manière dont ils sont racontés.

Palimpseste : Manuscrit sur parchemin dont la première écriture a été effacée et sur lequel un nouveau texte a été inscrit. Par extension, ce terme désigne aussi les mécanismes de superposition des souvenirs et les textes littéraires qui sont par métaphore écrits les uns « sur » les autres, dans une participation commune à l'histoire de la culture.

Paratexte : Éléments qui n'appartiennent pas au texte mais qui l'entourent : titre, dédicace, notes de bas de page, références éditoriales, indices d'énonciation, etc.

Personnage éponyme : Personnage qui donne son titre au récit.
Shoah : Mot hébreu qui signifie « anéantissement ». Ce terme désigne l'entreprise de déportation et d'extermination des Juifs d'Europe par les nazis pendant la Seconde Guerre mondiale (1940-1945).

Bibliographie

Livres de Patrick Modiano

La Place de l'Étoile, Gallimard, 1968 (Folio n° 698).
La Ronde de nuit, Gallimard, 1969 (Folio n° 835).
Les Boulevards de ceinture, Gallimard, 1972 (Folio n° 1033).
Lacombe Lucien (scénario du film de Louis Malle), Gallimard, 1974.
Villa triste, Gallimard, 1975 (Folio n° 953).
Interrogatoire (entretiens avec Emmanuel Berl), Gallimard, 1976.
Livret de Famille, Gallimard, 1977 (Folio n° 1293).
Rue des boutiques obscures, Gallimard, 1978 (Folio n° 1358).
Une jeunesse, Gallimard, 1981 (Folio n° 1629).
Memory Lane (avec Pierre Le-Tan), P.O.L, 1981.
De si braves garçons, Gallimard, 1982 (Folio n° 1811).
Poupée blonde (avec Pierre Le-Tan), P.O.L, 1983.
Quartier perdu, Gallimard, 1984 (Folio n° 1942).
Dimanches d'août, Gallimard, 1986 (Folio n° 2042).
Une aventure de Choura (avec Dominique Zehrfuss), Gallimard, 1986.
Une fiancée pour Choura (avec Dominique Zehrfuss), Gallimard, 1987.
Remise de peine, Le Seuil, 1988.
Catherine Certitude (avec Jean-Jacques Sempé), Gallimard, 1988 (Folio junior).
Vestiaire de l'enfance, Gallimard, 1989 (Folio n° 2253).
Voyage de noces, Gallimard, 1990 (Folio n° 2330).
Paris tendresse (avec Brassaï), Hoëbeke, 1990.
Fleurs de ruine, Le Seuil, 1991.
Un cirque passe, Gallimard, 1992 (Folio n° 2628).
Chien de printemps, Le Seuil, 1993.
Du plus loin de l'oubli, Gallimard, 1996 (Folio n° 3005).
Elle s'appelait Françoise... (avec Catherine Deneuve), Canal + Éditions, 1996.

Dora Bruder, Gallimard, 1997 (Folio n° 3181).
Des inconnues, Gallimard, 1999 (Folio n° 3408).
La Petite Bijou, Gallimard, 2001 (Folio n° 3766).
Éphéméride, Mercure de France, 2002.
Accident nocturne, Gallimard, 2003.

Études critiques

C. Nettelbeck et P. Hueston, *Patrick Modiano, pièces d'identité. Écrire l'entre-temps,* Éditions Minard, coll. « Archives des Lettres modernes », n° 220, 1986.
Magazine *Lire,* n° 176, mai 1990, dossier consacré à Patrick Modiano.
Bruno Doucey, « *La Ronde de nuit* » *(1969), de Patrick Modiano,* Hatier, coll. « Profil d'une œuvre », 1992.
Thierry Laurent, *L'Œuvre de Patrick Modiano : une autofiction,* Presses universitaires de Lyon, 1997.
Denise Cima, « *Dora Bruder* » *de Patrick Modiano,* Éditions Ellipses, coll. « Résonances », 2002.

Pour retrouver la période de l'Occupation

Carlos Bauverd, *Post Mortem, Lettre à un père fasciste,* Phébus, 2003.
Pascal Croci, *Auschwitz,* bande dessinée, Éditions Emmanuel Proust, coll. « Atmosphères », 2000.
Georges-Arthur Goldschmidt, *La Forêt interrompue,* Le Seuil, 1991.
Primo Levi, *Si c'est un homme,* Julliard, 1987.
Georges Perec, *W ou le souvenir d'enfance,* Denoël, 1975, repris par Gallimard, coll. « L'Imaginaire », 1993.
Michel Quint, *Effroyables jardins,* Joëlle Losfeld, 2000.
Michel Quint, *Aimer à peine,* Joëlle Losfeld, 2002.
Pierre Seghers, *La Résistance et ses poètes,* Seghers, 1974 (rééd. 2004).
Jorge Semprun, *L'Écriture ou la vie,* Gallimard, 1994.

TABLE DES MATIÈRES

Dans la même collection

Robert Desnos – **Corps et biens** (153)

Denis Diderot – **Jacques le fataliste et son maître** (149)

Denis Diderot – **Supplément au voyage de Bougainville** (104)

Annie Ernaux – **Une femme** (88)

Fénelon – **Les Aventures de Télémaque** (116)

Gustave Flaubert – **Un cœur simple** (58)

Jérôme Garcin – **La chute de cheval** (145)

Théophile Gautier – **Contes fantastiques** (36)

Jean Genet – **Les bonnes** (121)

André Gide – **La porte étroite** (50)

André Gide, Catherine Pozzi, Jules Renard – **3 journaux intimes** (186)

Jean Giono – **Un roi sans divertissement** (126)

Goethe – **Faust** (mythe) (94)

Nicolas Gogol – **Nouvelles de Pétersbourg** (14)

J.-C. Grumberg, P. Minyana, N. Renaude – **3 pièces contemporaines** (89)

Guilleragues – **Lettres portugaises** (171)

E.T.A. Hoffmann – **L'homme au sable** (108)

Victor Hugo – **Les châtiments** (13)

Victor Hugo – **Le dernier jour d'un condamné** (46)

Eugène Ionesco – **La cantatrice chauve** (11)

Sébastien Japrisot – **Piège pour Cendrillon** (39)

Alfred Jarry – **Ubu roi** (60)

Thierry Jonquet – **La bête et la belle** (12)

Franz Kafka – **Le procès** (140)

Madame de Lafayette – **La princesse de Clèves** (86)

Jean Lorrain – **Princesses d'ivoire et d'ivresse** (98)

Naguib Mahfouz – **La Belle du Caire** (148)

Marivaux – **Le jeu de l'amour et du hasard** (9)

Roger Martin du Gard – **Le cahier gris** (53)

Guy de Maupassant – **Bel-Ami** (27)

Guy de Maupassant – **Une vie** (26)

Henri Michaux – **La nuit remue** (90)

Patrick Modiano – **Dora Bruder** (144)

Patrick Modiano, Marie Ndiaye, Alain Spiess – **3 nouvelles contemporaines** (174)

Molière – **Dom Juan** (mythe et réécritures) (84)

Molière – **L'école des femmes** (71)

Molière – **Le Misanthrope** (61)

Molière – **Le Tartuffe** (54)

Montaigne – **De l'expérience** (85)

Montesquieu – **Lettres persanes** (lettres choisies) (37)

Lycée – En perspective

Pour plus d'informations :

http://www.gallimard.fr

ou

La bibliothèque Gallimard

5, rue Sébastien Bottin – 75328 Paris cedex 07

Cet ouvrage a été composé
et mis en page par Dominique Guillaumin, Paris,
et achevé d'imprimer par CPI Hérissey
à Évreux (Eure) en mars 2010.
Imprimé en France.

CPI
HÉRISSEY

Dépôt légal : mars 2010
1er dépôt légal : octobre 2004
N° d'imprimeur : 113740
ISBN : 978-2-07-031505-5

174265